LABYRINTHES

Howard Engel est né à Toronto. Il a vécu à Paris, Londres et Nicosie, où il a travaillé comme journaliste de radio. De retour à Toronto, il a produit des émissions de télévision. Membre fondateur de l'association Crime Writers of Canada, il a remporté en 1984 un Arthur Ellis Award. Il est également l'auteur d'une série policière dont le héros, le privé Benny Cooperman, est une institution nationale au Canada.

www.lemasque.com

HOWARD ENGEL

MR DOYLE ET DR BELL

Traduit de l'anglais par Corinne Bourbeillon

ÉDITIONS DU MASQUE
17, rue Jacob 75006 Paris

Titre de l'édition originale

Mr Doyle & Dr Bell

publié par Penguin Books Ltd.

Ce livre est dédié à la mémoire
de Julian Symons

1879
Automne

1

En 1879, je n'avais pas encore achevé mes études de médecine à l'université d'Édimbourg. La botanique, la chimie, l'anatomie, la physiologie et autres disciplines assommantes relatives à l'art de la médecine m'occupaient à plein temps. Désireux de réussir, je travaillais dur. Mes journées étaient ponctuées par les douze coups de l'église Tran, mes incursions en haut de l'escalier de sir William Turner qui me montrait comment amputer un métacarpe ou inciser un furoncle. De temps à autre, je m'accordais un petit verre de sherry avec un compagnon d'infortune au Rutherford's bar de Drummond Street, où nous nous remémorions les meilleurs moments d'une impérissable conférence sur la morphologie et les propriétés des îlots de Langerhans. Dire que je me morfondais à l'idée de devenir médecin de campagne serait un euphémisme. Ce n'était absolument pas ma vocation. Mais je n'avais pas le choix, mon père ayant de plus en plus de mal à subvenir aux besoins de notre famille nombreuse.

D'origine française, nous avons hérité d'un patronyme normand aux consonances aristocratiques, qui s'écrivait initialement D'oyly, D'oel, D'Oil et autres variantes du même genre. Il a fini par se fixer en Doyle et Doyle est resté. En France comme en Irlande, où une branche de la famille alla ensuite s'établir, nos ancêtres avaient la réputation d'être de fervents catholiques. Beaucoup d'Irlandais nous confondent avec les Doyle du Leinster ; nous n'avons toutefois aucun lien de parenté avec les M'Dowell d'Irlande, dont Doyle est une variante, ni avec les M'Dougall d'Écosse. Quand les strictes lois religieuses contre les catholiques romains nous chassèrent d'Irlande, à la surprise de tous, nous nous tournâmes vers les arts. Mon grand-père fut un célèbre portraitiste et caricaturiste, tous mes oncles étaient artistes et illustrateurs. L'un dessinait la une de *Punch*, l'autre dirigeait la National Gallery d'Irlande à Dublin. Seul mon père choisit une voie plus pragmatique, en devenant fonctionnaire aux Monuments historiques d'Édimbourg.

Les caprices du destin avaient peut-être terni le blason familial représentant un cerf couronné, mais apparemment la devise *Fortitudine vincit* nous soutenait. Quant à la médecine, profession pourtant respectée autour de nous, ce n'était pas une tradition dans notre famille.

Malgré tout, je persistais dans cette voie, ne

m'autorisant à gémir sur mon sort que devant Louis Stevenson[1], au Rutherford's. Un verre à la main, il était toujours prêt à m'écouter. Stevenson avait presque dix ans de plus que moi, mais nous nous étions liés d'amitié quand il avait été confronté à des difficultés semblables aux miennes, d'abord lorsqu'il avait entrepris des études d'ingénieur, suivant en cela la voie traditionnelle de ses aïeux, qui avaient fait de la conception et de la construction des phares un secret de famille, puis avec le droit, qu'il n'aimait pas davantage. Comme il se plaisait à le dire, il préférait les bars au barreau. Nos goûts en matière de littérature étaient complètement différents, mais nous dévorions tous deux quantité de livres et pouvions défendre nos auteurs préférés des heures durant. Nous connaissions l'un et l'autre nos modestes succès littéraires respectifs, mais n'en parlions que rarement. Louis ne comptait pas rester à Édimbourg et projetait de partir en Amérique afin d'y retrouver une certaine Fanny. Il venait de rentrer de France, aussi avions-nous beaucoup de choses à nous raconter.

– Doyle, mon vieux pote, tu ferais bien de tout plaquer ! Largue les amarres, hisse la grand-voile et prends le large !

Nous étions accoudés au comptoir en acajou dans

1. Il s'agit de l'écrivain Robert Louis Stevenson (1850-1894), futur auteur des célèbres *Dr Jekyll et Mr Hyde* (1885) et *L'Île au Trésor* (1883). (NdlT)

un coin du Rutherford's, l'un en face de l'autre : j'avais une pile de cahiers à mes pieds et Stevenson, ses longues jambes repliées, était juché en équilibre précaire sur un tabouret. Son habituelle mise négligée et bohème – veste de velours, chemise noire et écharpe d'artiste nouée autour du cou – accusait son teint cireux et ses traits émaciés. Il ressemblait vraiment à un cadavre ressuscité et animé du désir de terminer ce qu'il avait projeté de faire avant que le sacristain de Greyfriars ne lui rende les derniers sacrements. Et les verres d'alcool fort qu'il avait déjà bus sans compter ne contribuaient guère à lui donner bonne mine.

Avec son habituelle perspicacité, Louis avait deviné mon humeur morose. Je m'étais fait remonter les bretelles par un professeur au sujet d'un devoir qu'il avait trouvé mauvais. L'incident m'avait gâché la journée et menaçait pareillement d'assombrir la soirée. Percé à jour par mon ami, je tentais de lui démontrer que ma situation avait aussi de bons côtés.

– Je commence à me rendre compte, Stevenson, que je ne me débrouille pas si mal. Si je continue comme ça, j'ai toutes les chances de réussir.

– Réussir à quoi ? À amputer des gens ? À leur prescrire des « mixtures », des « gargarismes », des « pilules », des « expectorants » ?

Stevenson reposa bruyamment son verre sur le comptoir, dont il avait mal évalué la hauteur.

– C'est facile pour toi de te moquer de mon triste sort, Stevenson ; ton père est riche et il t'adore. Moi, je porte des chaussettes reprisées à côté desquelles celles de lord Nelson à Greenwich ont l'air flambant neuves ! Mais si je ne fais pas le malin, si je résiste à la tentation d'embarquer sur un baleinier arctique pour retrouver le squelette de Franklin, si je m'astreins dix années durant à renifler des selles et à mesurer de l'urine, alors, oui, avec un peu de chance, je finirai peut-être par décrocher un poste de chirurgien honoraire, et j'enverrai quelques articles au *Lancet*, histoire d'oublier mes ambitions littéraires. Franchement, tu crois que c'est l'avenir dont je rêve ?

– Évidemment, présenté comme ça… Je compatis, vieille branche ! Mais, à mon avis, ton problème n'a rien à voir avec la médecine. C'est le calvinisme environnant qui te fait tout voir en noir. Cette ville a été bâtie sur les ossements des Covenantaires, dont le souvenir hante encore notre sommeil. Comme nous n'avons pas la conscience tranquille, nous ne voyons que le mauvais côté des choses. En bon papiste, tu devrais savoir ça. Les Jésuites ne t'ont donc rien appris ?

– Ça n'a rien à voir avec la religion ni avec le triste passé de cette ville.

Louis et moi avions déjà discuté, il y avait longtemps, de notre scepticisme religieux. Restait à savoir qui de nous deux était l'agnostique le plus absolu. Nous avions l'un comme l'autre bien inutilement blessé nos deux familles en leur avouant que nous avions perdu la foi. Quand je songe aujourd'hui à la peine que nous avons causée à nos parents, j'en ai les larmes aux yeux. La sincérité absolue des jeunes gens, lorsqu'ils renoncent enfin à la pratique désespérée du mensonge, n'est pas forcément une bonne chose.

Mais mon ami cessa de s'intéresser à moi car la serveuse vint remplir son verre. C'était un beau brin de fille, et Stevenson, à qui cela n'avait pas échappé, multiplia les familiarités pour l'empêcher de repartir. La jeune femme, mince et souple, se déroba à ses embrassades avec une grâce de ballerine. Avant de se sauver, elle déposa un baiser affectueux sur le front de Stevenson, qui en profita pour la serrer dans ses bras en murmurant son nom : Kate. Par-dessus l'épaule de mon ami, elle me fit un sourire las et résigné.

Après avoir bu une gorgée, Stevenson se tourna de nouveau vers moi, me détaillant d'un œil critique. Je ne sais ce qu'il me trouvait : certes, j'étais plus grand que la moyenne, j'avais une tache violette sous l'œil droit – conséquence d'un récent combat de boxe –, un début de moustache ridicule, et mon expression trahissait un ardent besoin de compagnie.

– Tu es un cas désespéré, alors ? s'enquit Stevenson, d'une voix peut-être un peu plus forte qu'il ne l'avait voulu. Le patient est condamné à passer toute sa vie sur son lit de douleur en compagnie d'un bocal à sangsues ? On va le laisser suppurer et décrépir ?

– C'est à Joe Bell d'en décider.

– Ah ! Comment va ce vieux Joe ?

– Il va sur ses quarante et un ou quarante-deux ans, je crois.

– Non, je voulais dire : comment va-t-il ?

– Oh, ça va. Avec Fraser, c'est le plus intéressant de tous mes professeurs. Rien qu'en prenant la main d'un patient il est capable de nous dire que l'homme vient de débarquer d'un clipper arrivant de la Terre de Van Diemen[1] ; après quoi, il nous explique qu'il n'y a que là-bas qu'on voit le genre de cloques qu'il a sur la peau. Tu sais qu'il m'a demandé de reprendre ses consultations externes ? Tu étais en France quand cela s'est fait. C'est moi qui m'occupe de ses patients depuis le printemps.

– C'est un insigne honneur, mon cher. Mes félicitations, Dr Doyle !

– Oui, je suis surpris qu'il m'ait choisi. C'est comme si je l'accompagnais dans ses visites, j'apprends beaucoup de choses.

Après le Rutherford's, Stevenson et moi allâmes manger un morceau dans une taverne bondée près du château. Nous vidâmes une autre bouteille de vin, puis il me proposa de marcher jusqu'au Siège d'Arthur pour admirer la ville. Il voulait me montrer la nouvelle prison. De là-haut, quand il faisait jour, on pouvait voir les femmes détenues faire leur gym-

1. La Tasmanie. Cette île du sud-est de l'Australie porta jusqu'en 1853 le nom de Terre de Van Diemen, du nom du gouverneur général des Indes néerlandaises. (NdlT)

nastique. Alignées en rangs d'oignons, elles ressemblaient, disait-il, à des bonnes sœurs jouant sagement dans la cour d'un couvent. Nous partîmes donc à pied dans les rues aux pavés luisants de pluie. Nous passâmes devant l'église Saint-Gilles, cachée derrière une palissade pour cause de travaux de restauration. Stevenson s'arrêta pour se soulager derrière la tombe présumée de John Knox à Parliament Square, expliquant que c'était en pénitence de tous les propos irrespectueux envers ma religion qu'il avait pu tenir au Rutherford's.

– Je te l'ai déjà souvent dit, et tu te le rappellerais si tu étais moins soûl : la religion de mes ancêtres n'est pas celle que je pratique ! lui rétorquai-je comme il reboutonnait sa braguette.

– Ah bon ? Et quelle est celle que tu pratiques ?

– Pour le moment, aucune. Et ça me convient parfaitement. J'ai du mal à croire que tous les soldats massacrés à Waterloo et Balaclava ont simplement cessé d'être, mais je n'ai pas de credo qui puisse me fournir une explication. Du coup, j'ai renoncé à toute croyance. Je te recommande chaudement l'expérience.

– Tu es devenu nihiliste ! Peut-être même un adepte de Nietzsche, cet Allemand en quête du surhomme ?

Stevenson me contempla en inclinant la tête d'un air interrogateur, puis baissa de nouveau les yeux sur sa braguette pour rectifier une erreur de boutonnage. Pour finir, il se retourna vers la plaque fixée au mur de l'église.

– Quand je songe à tout ce sang qui a été répandu au nom de la religion, à l'endroit même où nous sommes, j'incline presque à penser comme toi et les autres pessimistes. Je retire donc le « papiste » dont je t'ai gratifié. Mais ce que tu m'as dit est à ranger dans la rubrique « vie privée ». Ici, dans notre Vieille Enfumée[1], il y a deux sortes de vérités : la privée et la publique. Le soir, on se fait des confidences autour d'un verre, mais on les nie farouchement le jour venu. C'est grâce à cette hypocrisie bienséante qu'Édimbourg parvient à survivre.

– À mon tour de t'accuser de pessimisme calviniste.

– Oh, Dr Doyle ! Le monde ne tourne pas rond. Ou alors, c'est nous qui marchons sur la tête. Je pars pour l'Amérique dans une semaine. Le Nouveau Monde ne tourne peut-être pas vraiment rond non plus, mais au moins il y aura l'attrait de la nouveauté et du changement. Et puis Fanny !

Quand nous en eûmes assez de contempler Princes Street, encore noire de monde à cette heure tardive, je le raccompagnai chez lui, à Heriot Row, le long de rues sombres et étroites. Nous pressâmes le pas dans la nuit d'encre, seulement trouée par le halo lumineux des lampadaires et la lueur de quelques

1. Traduction littérale de « Auld Reekie » : surnom donné par les Écossais à la ville d'Édimbourg. (NdlT)

chandelles brûlant encore derrière des rideaux soigneusement clos. Des âmes tourmentées ne parvenant pas à trouver le sommeil, peut-être. Louis, complètement soûl, se mit à brailler les noms de deux femmes, la fameuse Fanny mentionnée un peu plus haut, et une certaine Modestine, les suppliant de l'emmener dans un monde plus heureux.

2

Le lendemain matin, j'arrivai tôt au dispensaire. Le Dr Bell me salua d'un bref signe de tête.

– Mon garçon, ces soirées arrosées vont causer votre perte.

– Pardon ?

– Ne faites pas l'innocent avec moi, Mr Doyle. Défendez-vous. Ou apprenez à vous draper dans votre dignité avec plus d'assurance. C'est très utile. Vous avez sans doute remarqué que je ne suis pas un modèle d'abstinence moi non plus. Mais il ne faudrait pas que vous tombiez sur Crum Brown. Et le professeur Maclagan pourrait vous renvoyer. La tache sur votre cravate sent le sherry. Vous avez passé la soirée au Rutherford's, je parie. Et après, vous êtes allé dîner dans une taverne. La sciure sur vos souliers vous trahit. Mais je ne suis pas là pour vous faire la morale. Allez prendre le registre des consultations et voyez quels sont les patients qui attendent.

Le Dr Joseph Bell était le Bell actuellement en poste à la Faculté de médecine d'Édimbourg. Plusieurs générations de Bell l'avaient précédé et les noms des plus réputés figuraient dans les annales de l'université. Leurs portraits vous toisaient du haut des escaliers ou le long des couloirs obscurs. La réputation du Dr Joe n'avait rien à leur envier, mais il ne se drapait pas pour autant dans cette condescendance professorale, faite de froideur distante ou de sarcasme mordant, qui rendait si désagréables les manières de nombre de ses collègues à l'université. Beaucoup de professeurs commençaient à sortir un peu de leur réserve glaciale quand leurs étudiants arrivaient en quatrième année. Certains avaient même réussi à retenir les noms de quelques-uns d'entre nous. Mais Joseph Bell, lui, nous connaissait tous par nos noms dès la première année. Il n'imitait pas ses collègues qui ridiculisaient l'étudiant incapable de répondre correctement à une question. Une réponse stupide ou irréfléchie amenait Bell à reformuler sa question, ce qui revenait à dire : il y a là une difficulté qui mérite qu'on s'y arrête. Cela n'avait rien d'exagéré de dire qu'il était aimé. Mais nous l'aimions comme des spectateurs peuvent aimer un acteur de théâtre jouant leur scène préférée. Ses yeux, auxquels rien ne semblait échapper, nous fascinaient. Nous nous efforcions d'imiter sa méthode pour établir un diagnostic, en éliminant une à une les hypothèses les moins pertinentes, jusqu'à bien cerner le problème, qui sautait alors aux yeux de tous.

Physiquement, le Dr Bell n'avait rien d'impressionnant. Il devait bien mesurer un mètre quatre-vingts pourtant, mais comme il n'avait pas le port militaire et se tenait assez avachi sur sa chaise, il ne paraissait pas si grand. Il avait un visage dolichocéphale, c'est-à-dire tout en longueur, avec un grand nez aquilin fiché entre ses yeux gris et perçants. Sa bouche laissait deviner une grande sensibilité. Ses vêtements, de coupe classique à l'origine, étaient devenus informes tant il les avait usés. Ses longs doigts osseux auraient pu passer pour ceux d'un pianiste ou d'un violoniste virtuose, tant qu'on ne les avait pas vus manier le scalpel avec la précision d'un chef d'orchestre dans la salle d'opération, devant des douzaines de paires d'yeux fascinés. Nous étions peu, même parmi les nouveaux venus, à défaillir durant ses interventions, car il nous invitait à dessiner en pensée des draps imaginaires sur le corps, afin de nous apprendre à nous concentrer uniquement sur la partie exposée. Sa technique était presque musicale, comme un grand violoniste jouant sur un Amati.

Ayant interrogé les hommes et femmes dans la salle d'attente, je rapportai le registre au Dr Bell dans le cabinet.

– Tâchez de vous rappeler, Doyle, que nous recevons des gens ici, pas des vésicules biliaires et des prolapsus. Nous soignons des personnes, pas seulement des organes malades.

Je fis entrer le premier des patients, un homme vêtu d'un costume neuf et coiffé d'un chapeau en poil de castor brossé gaillardement incliné sur le côté. Je le conduisis à une chaise au centre de la pièce. Un groupe d'étudiants de deuxième, troisième et quatrième années avaient déjà envahi le cabinet, armés de leurs carnets de notes, prêts à recueillir les préceptes de notre maître comme les dernières paroles d'un monarque à l'agonie. Le Dr Bell s'approcha du patient d'un air affable.

– Alors, mon brave, vous avez servi dans l'armée ?

– Oui, docteur, répondit le patient en ôtant son chapeau qu'il déposa par terre à côté de lui.

– Mais vous venez d'être démobilisé ?

– Oui, docteur.

– Régiment des Highlands, je suppose ?

– Oui, docteur.

– Sous-officier, peut-être ?

– Oui, docteur.

L'homme, stupéfait, ouvrait de plus en plus grand la bouche, comme si les muscles de ses mâchoires s'étaient distendus.

– Et le climat de la Barbade, vous l'avez bien supporté ? Car vous étiez bien en garnison à la Barbade, n'est-ce pas ?

– Oui, docteur.

Le Dr Bell se retourna pour balayer la pièce du

regard. Il posa amicalement la main sur l'épaule du patient.

– Vous voyez, messieurs, lança-t-il à la ronde, mon patient est un homme poli, mais il a gardé son chapeau sur la tête en entrant. Dans l'armée, on ne se découvre pas. S'il avait quitté l'uniforme depuis longtemps, il suivrait nos usages civils. Sa démobilisation est donc récente. Son air d'autorité ne trompe pas : c'est un Écossais. Quant à la Barbade, je lis dans le registre qu'il se plaint d'éléphantiasis, maladie que l'on ne rencontre qu'aux Antilles.

Nous échangeâmes tous des regards furtifs, impressionnés par le miracle auquel nous venions d'assister. Avec ses explications, ce qui nous avait d'abord paru tenir du prodige devenait un exercice de déduction fort simple, que même les moins vifs d'entre nous seraient capables de maîtriser en quelques jours. Mais c'était un véritable tour de force. Les vrais artistes sont justement ceux qui réussissent la difficile prouesse de faire passer l'impossible pour un jeu d'enfant.

Quand le Dr Bell eut terminé d'examiner le premier patient, profitant de l'occasion pour nous faire une brève leçon sur les symptômes, la cause et le traitement de cette handicapante et douloureuse infirmité, je fis entrer le malade suivant. Celui-ci lui fournit le prétexte d'un petit sermon sur la surveillance de la prostate :

– Chez un homme jeune, elle est bien lisse, messieurs, mais quand le corps vieillit, des irrégularités apparaissent. Une simple palpation vous livrera soixante-dix pour cent de ses mystères. Les trente pour cent restants ne sont pas palpables. Heureusement, quand un cancer se développe, j'ai constaté que, dans la majorité des cas, la tumeur se présente du côté où vos doigts pourront la détecter.

Toute la matinée, je fis ainsi entrer les patients, l'un après l'autre, jusqu'à ce qu'il ne restât plus personne dans la salle d'attente. Chaque fois ou presque, les yeux du Dr Bell remarquaient ce qui échappait aux nôtres. Les semelles arrondies des bottes, les épingles à cravate, les taches sur les ongles, la trame usée d'une paire de pantalons, autant de détails qui pouvaient déjà nous apprendre bien des choses, nous expliquait-il, pour peu que nous sachions les déchiffrer. La plupart des étudiants gardaient en mémoire les démonstrations de l'étonnant Dr Bell au moins jusqu'à l'obtention de leur diplôme de médecin. Mais certains d'entre nous ne les oublieraient jamais.

Une fois la salle d'attente vide et le cabinet rangé, le Dr Bell prit une fiole contenant un distillat jaune pâle, en versa une once dans deux tubes à essai et m'en tendit un.

– Buvez donc un petit coup avant de partir, Doyle.

– Merci, docteur.

Je reniflai l'éprouvette. Cela sentait l'alcool et la tourbe.

– À votre santé, mon garçon, dit-il en buvant une gorgée. C'est mon cousin qui produit ce breuvage, sur les coteaux de la province d'Athole. Sentez-moi cette odeur de bruyère.

Je ne m'attendais pas à me faire offrir un verre par mon professeur, j'étais flatté de cette attention. Il m'observait derrière son tube, et j'avais l'impression qu'il me disséquait du regard.

– Vous êtes bien strict et bien sérieux pour un Irlandais, Doyle.

– Je suis né à Édimbourg, lui rappelai-je.

– Oh, je sais bien ! dit-il en agitant la main avec l'air de dire que les choses n'étaient pas si simples. Je le sais. L'Écosse semble vous avoir davantage marqué de son empreinte que vos ancêtres irlandais. Vous avez été élevé à la bouillie d'avoine, comme nous autres. Mais où est passée la sombre nostalgie de votre âme celte, sa quête d'impossible sur les traces de Cúchulainn et de la reine Medb ?

– Docteur, je…

– Allons, appelez-moi Joe, mon garçon. Quand je ne suis plus sur l'estrade, c'est mon nom. D'ailleurs, je parie que vous ne vous privez pas de le faire dans mon dos. Je décèle en vous de remarquables compétences, Doyle. Mais je ne suis pas sûr que ces compétences soient celles d'un médecin de campagne. Ni même d'un éminent docteur en ville. Vous êtes curieux de nature. Peut-être pas le plus curieux de tous mes étudiants, mais vous avez l'esprit vif et brillant. Vous savez que le cœur est un muscle, mais comme vous avez aussi quelques notions de philosophie, vous vous demandez s'il n'est vraiment que cela. Vous savez que le sacrum est un amalgame de vertèbres ankylosées se formant à l'arrière du pelvis, mais vous n'ignorez pas qu'on l'appelle ainsi parce qu'on pense qu'il s'agit du siège de l'âme. Dites-moi : avez-vous trouvé l'âme dans vos cours d'anatomie, mon garçon ?

– Non, docteur.

– Ah ! Et jamais vous ne l'y trouverez. Qu'attendez-vous de la vie, Doyle ? Vous rêvez d'une plaque de cuivre et d'une lampe rouge à votre porte ?

– Je…

– Je dis « la vie » par habitude. Nous regardons le monde à travers les verres de la convention, mon garçon. Pour ma part, j'ai bien du mal à vous imaginer en médecin généraliste traditionnel. Cela vous plairait-il de rester assis dans votre cabinet à guetter l'arrivée des patients ? Écoutez-moi, mon ami, si, comme je le crois, vous songez à une belle maison dans un beau quartier de Londres, comme Cavendish Square, pour ouvrir votre cabinet, dites-vous bien que le premier à patienter en salle d'attente est le médecin. C'est lui qui attend les malades et pas l'inverse. En revanche, il peut compter sur la visite du percepteur, qui n'est jamais en retard pour encaisser le loyer. Peut-être envisagez-vous de vous spécialiser : les yeux, les oreilles, le nez et la gorge ; la poitrine ; le cerveau ? Tout cela est bel et bien bon. Mais que dit la petite voix au fond de vous ? Que vous murmure-t-elle à l'oreille dans l'obscurité de votre chambre quand vous posez la tête sur l'oreiller ?

– J'avais pensé…

– Oui ? Oui ?

– J'ai toujours voulu écrire.

– Écrire ? Sur quoi ? Si vous avez un penchant pour la littérature, vous devriez lire des auteurs qui étaient aussi médecins : des hommes comme sir Thomas Browne, Montaigne, Locke et Holmes.

– Holmes ? Je ne crois pas connaître cet auteur, docteur.

– Oliver Wendell Holmes, professeur d'anatomie à Harvard. Il écrit d'excellentes choses. Si le genre de littérature qui vous intéresse est plutôt scientifique, je vous imaginerais bien travailler pour le *Medical Journal*. Vous en seriez très capable, j'en suis sûr. Mais ce n'est pas cela dont vous rêvez, pas vrai ? Je commence à voir l'Irlandais s'agiter en vous. Ce n'est pas seulement cette fibre celtique commune, que nous partageons tous les deux ; non, cela va plus loin. Allons, dites-m'en plus. Je promets de ne plus vous interrompre.

Malhabilement, c'est-à-dire en restant plutôt en deçà de la vérité, j'exposai donc à Bell mes ambitions littéraires. Je lui parlai des diverses petites choses que j'avais écrites et des lettres que m'avaient envoyées les directeurs de journaux. Durant tout ce temps, Bell se contenta de hocher la tête, remplissant de nouveau nos tubes à essai, et commença à bourrer sa pipe en écume d'un tabac très fort.

Je continuais donc à lui raconter l'histoire de ma vie, lui révélant mes espérances et mes ambitions, heureux de l'intérêt manifeste de mon unique auditeur quand, tout à coup, un bruit se fit entendre dans la salle d'attente. J'avais oublié de tirer le verrou de la porte d'entrée. Nous nous levâmes pour aller voir ce qui se passait. Nous ouvrîmes des yeux ronds en découvrant la personne qui venait d'entrer dans la pièce désertée. C'était un jeune homme d'à peu près mon âge, à l'expression affolée. Ses cheveux étaient pleins de sang séché et un filet rouge lui coulait encore sur la tempe, signe que sa blessure ne devait pas remonter à plus d'une heure. Ses yeux, profondément enfoncés dans leurs orbites, ne cessaient d'aller et venir entre nous deux. Il finit par parler :

– Dr Bell ? Dr Joseph Bell ? Je suis un homme mort si vous ne m'aidez pas.

3

Non sans peine, nous l'emmenâmes, moitié le tirant, moitié le portant, dans le cabinet, car il s'était évanoui juste après avoir prononcé ces mots, qui me firent frissonner de peur et de curiosité.

– Posez-le sur la table d'examen, m'ordonna Bell en s'efforçant de garder son calme.

Nous le hissâmes ensemble sur le plan de bois que je venais de recouvrir d'une feuille de papier brun. Précautionneusement, le Dr Bell examina la tête du jeune homme.

– Donnez-moi quelque chose pour nettoyer ce sang, et des ciseaux pour lui couper les cheveux.

Ayant trouvé les objets demandés, je les apportai aussi vite que possible au médecin, qui, sans quitter son patient des yeux, se mit à couper les cheveux collés par le sang.

– Est-ce grave ? m'enquis-je, retenant mon souffle.

– Ça n'en a pas l'air. Une simple commotion,

peut-être. Nous allons voir. Donnez-moi une bande de gaze, Mr Doyle.

Je la lui apportai comme le reste et observai l'homme qui battait des paupières, commençant à revenir à lui. Quand Bell recula, je vis que la blessure semblait assez superficielle : le patient avait dû recevoir un coup ou un projectile. Ayant désinfecté la plaie au phénol, Bell lui pansa la tête, recouvrant le bandage de gaze avec du sparadrap. Quand il eut terminé, je m'aperçus que je n'étais plus le seul à suivre ses gestes du regard. L'homme gémit plusieurs fois, se frotta les yeux et regarda autour de lui. Il nous dévisagea avec insistance avant de se décider à parler.

– Ai-je l'honneur de m'adresser à l'illustre Dr Bell ? demanda-t-il.

L'adjectif fit sourire Bell, mais il préféra attendre d'en savoir plus sur notre visiteur pour discuter du degré de sa célébrité.

– Voici mon assistant, le Dr Arthur Conan Doyle. Et si vous nous disiez votre nom, monsieur, et pourquoi vous êtes venu jusqu'ici ? Cela fait un bon bout de chemin depuis Market Square, et vous avez dû passer devant plusieurs portes affichant une plaque de médecin ainsi que deux hôpitaux avec service d'urgence. Dans votre état, vous auriez dû aller vous faire soigner à l'endroit le plus proche, mais vous avez préféré venir à mon dispensaire, jeune homme…

Disant cela, il versa une potion dans un gobelet et aida notre visiteur à le porter à ses lèvres. L'homme but deux petites gorgées puis laissa retomber sa tête en arrière. Je constatai avec soulagement que le breuvage ne provenait pas de la même fiole à laquelle nous avions bu tout à l'heure.

– Dr Bell, je ne suis pas médecin…

– Évidemment. Vous êtes peintre. Il suffit de regarder vos souliers. Mais vous n'avez pas peint aujourd'hui. Vous êtes allé rendre visite à quelqu'un, quelque chose d'officiel, des gens qui vous font peur, ou à qui vous vouliez faire impression. Mais, je vous en prie, poursuivez.

– Je sais bien que ma blessure est sans gravité. Ce n'est pas pour cette raison que je suis venu vous trouver.

– Ah bon ? Vous feriez peut-être bien de vous expliquer, jeune homme. Laissez-moi d'abord vous aider à vous asseoir. Vous avez une vilaine plaie, mais, comme vous dites, elle est sans gravité. Elle va cicatriser toute seule.

Ensemble, nous aidâmes l'homme à descendre de la table d'examen et à s'installer sur la seule chaise rembourrée du cabinet. Une fois assis, il nous dévisagea de nouveau l'un après l'autre, puis commença à parler :

– Je m'appelle Graeme Lambert. Je suis le petit-fils de John Angus Lambert, docteur en théologie, qui dirigea la Royal High School jusqu'à sa mort, il y a trois ans. Mon père, courtier en bourse, a la chance d'avoir à la fois hérité du nom et du caractère irréprochable de mon grand-père. Moi, c'est tout le contraire, je suis l'une des deux brebis galeuses de la famille. Mais je vous parlerai de mon frère tout à l'heure. Ma famille juge inadmissible d'avoir des artistes incapables de garder un sou en poche dans ses rangs. Elle ne sait que faire de nous. Les choses vont un peu mieux depuis le décès de mon grand-père, mais c'est tout juste si mes parents daignent me considérer comme leur fils. Seule ma sœur Louise s'abstient de tout jugement et garde le contact avec moi. Je suis sûr qu'elle me désapprouve, mais elle surmonte ses réticences ; c'est dans sa nature. Ce que j'essaie de vous dire, c'est que je suis un fils de bonne famille, mais que je me suis marginalisé aux yeux de la société. Exception faite de mon frère et moi, notre famille s'est toujours conformée aux valeurs sinistrement conformistes de cette ville. J'ai trouvé du travail chez un graveur, qui m'a aidé à subsister, et je fais aussi des dessins et caricatures pour un journal. Cela me permet de manger à ma faim sans pour autant rouler sur l'or. Je ne vis, ou plutôt je ne vivais que pour ma peinture : je faisais parfois des portraits, mais c'était rare, et surtout des fresques, art que je suis le seul à pratiquer dans cette ville. Bref, mon existence n'était déjà pas très brillante, quand on est venu arrêter mon petit frère pour l'horrible meurtre de Mlle Hermione Clery, la célèbre soprano de l'Opéra Royal.

Le Dr Bell et moi échangeâmes un regard. Dans cette ville – et même dans tout le pays – rares étaient ceux qui n'avaient pas entendu parler de cette affaire.

Les journaux avaient titré HORREUR À ÉDIMBOURG en gros caractères. Hermione Clery et son amant avaient été retrouvés égorgés dans le salon de l'appartement où vivait la soprano, à Coates Crescent. Tous les journaux, du nord au sud, s'étaient fait l'écho de cette histoire. Le crime avait fait sensation et je savais que le procès d'assises allait bientôt s'ouvrir.

– Je viens de voir mon frère dans sa prison. Son avocat m'a conseillé de me tenir à l'écart du procès. Il est d'avis que mon mode de vie, ma précarité domestique, ma présence même, ne feraient que desservir la cause de mon frère. Il y avait un petit attroupement devant la prison, et quand j'en suis sorti, les gens se sont mis à crier et à me jeter des cailloux. J'en ai reçu un qui a causé la blessure que vous venez de soigner, docteur. En plein sur la tête ! Mais toute cette haine était moins dirigée contre moi que contre Alan. Ce crime a excité la fureur des gens de cette ville et ils ne se calmeront pas avant la fin du procès.

– Pourquoi êtes-vous venu me voir ? demanda posément le Dr Bell en regardant notre visiteur droit dans les yeux.

– Parce que je n'ai personne d'autre vers qui me tourner ! s'exclama-t-il. La police ne m'écoutera pas. J'ai écrit à sir George Currie, le *lord Advocate* [1],

1. Le *lord Advocate*, dans le système judiciaire écossais, est le représentant du ministère public. Sa fonction se rapproche de celle du procureur général. (NdlT)

ainsi qu'au ministère de l'Intérieur. J'ai sollicité le rédacteur en chef du journal pour lequel je travaille ; il m'a remercié en me rayant de la liste de ses dessinateurs politiques.

– Et votre père ? Il a dû entreprendre des démarches ?

– Ma sœur m'a dit qu'il avait fait tout ce que j'avais déjà tenté de mon côté et même plus. Il a de l'influence. Il connaît des juges et des magistrats. Il parle le même langage qu'eux. Mais ils n'ont pas bougé le petit doigt pour lui. Ils n'ont rien fait. C'est pourquoi…

– Mr Lambert, je suis médecin. Je fais figure d'autorité dans ce domaine. J'ai écrit plusieurs monographies qui ont été publiées par *The Lancet* et mon travail de chirurgien en salle d'opération a fait l'objet de divers articles dans ce même journal. Mais ce que vous me demandez là, cher monsieur, ne relève absolument pas de mes compétences.

– Vous êtes trop modeste, docteur. Je sais que vous avez aidé le neveu de William Temple l'année dernière. Vous avez été d'une efficacité remarquable.

– Ah, vous savez cela ? L'affaire était une simple affaire erreur d'identité. Je n'ai fait que rendre un petit service à un ami.

– Vous avez aussi résolu cette autre affaire, avec le cormoran dressé et le phare…

– On ne peut guère appeler ça une affaire, jeune homme. Une petite intrigue politique, à la rigueur.

Mais, là encore, je n'ai fait qu'aider un ami et on a exagéré mon rôle. Je ne peux rien pour vous.

– On va pendre mon frère, docteur ! Il est innocent.

– C'est bien possible, Mr Lambert. Mais que voulez-vous que j'y fasse ? Vous me demanderiez de vous construire une villa ou de vous accompagner sur un green pour une partie de golf, ma réponse serait la même : « Je ne suis pas la personne qu'il vous faut. » Non, vraiment, je ne suis pas qualifié pour ces choses.

– Et l'histoire de l'abat-jour vert ? Pendant des semaines, on n'a parlé que de cela dans mon club… à l'époque où j'étais encore assez respectable pour être membre d'un club.

Bell prit une grande inspiration et se dirigea à pas lents vers la fenêtre. Il resta là quelques instants, jouant avec le pompon suspendu à la cordelette du rideau. Notre visiteur le suivit du regard sans mot dire, mais ne resta pas muet longtemps :

– Avez-vous déjà assisté à une pendaison, docteur ? Ce n'est pas beau à voir, vous savez.

– Non, ce n'est pas beau à voir. Et c'est ainsi depuis des siècles. Mais je présume que votre révolte contre la peine capitale est toute récente. Franchement, jeune homme, je me sens bien incapable de vous aider. Comment pourrais-je aider un affabulateur qui ne me raconte que des histoires ?

– Me traiteriez-vous de menteur ? Êtes-vous fou ? Je suis peut-être désespéré, mais je dis la vérité.

– Dans les grandes lignes, peut-être, mais vous

avez une manière un peu théâtrale d'arranger la vérité.

– Et en quoi ai-je arrangé la vérité, selon vous, docteur ?

– Vous m'avez dit que votre vie était en danger. Vos paroles exactes étaient : « Je suis un homme mort si vous ne m'aidez pas. » Très théâtral, assurément, mais faux. C'est la vie de votre frère qui est menacée, pas la vôtre. Comprenez-moi, jeune homme, je m'intéresse à votre problème et je découvre que vous m'avez entraîné dans des sables mouvants ! Alors continuerez-vous à maquiller la vérité chaque fois que cela vous arrangera ?

Lambert contempla Bell puis me regarda. Le sang avait reflué de son visage. Il ouvrit et ferma la bouche deux fois avant de se décider à parler :

– Je reconnais vous avoir induit en erreur. Je suis impardonnable. C'était une comédie minable de ma part. Mais, comprenez-moi, j'étais blessé, désespéré, prêt à tout pour sauver mon frère. Je vous promets de ne dire que la vérité, désormais, sans plus rien déformer.

– Bah ! Ça n'a plus grande importance, maintenant. Je suis sincèrement désolé, mais je vois mal comment je pourrais être la solution à vos problèmes. Les affaires auxquelles vous avez fait allusion n'étaient pas les aventures que vous imaginez. C'étaient de simples gestes d'amitié, mais pas de quoi accrocher une nouvelle enseigne à ma porte pour annoncer mon changement de profession.

– Vous admettez qu'il s'agissait de gestes d'amitié ?

– Ai-je vraiment besoin de le répéter ? Mais n'allez pas vous imaginer, jeune homme, que vous pouvez prétendre à mon amitié.

Je vis l'ombre d'un sourire traverser fugitivement le visage de Graeme Lambert. Bell le vit aussi. Il n'en continua pas moins de questionner l'importun :

– Pourquoi êtes-vous venu ici ? Pourquoi avoir poussé ma porte ? Ne me dites pas que c'est parce que vous avez vu une lampe rouge à l'entrée, sinon je serais encore obligé de vous traiter de menteur ! N'importe quel médecin aurait pu panser votre blessure. Vous ne m'avez pas tout dit. Je vous écoute.

– Docteur, j'hésite à révéler devant une tierce personne ce qu'il me coûte déjà de vous confier à vous seul.

– Bon sang, mais parlez donc ! Allez-y, videz votre sac ! Le Dr Doyle et moi sommes confrères. Je lui confie bien mes secrets, alors pourquoi pas les vôtres ?

Cela faisait deux fois que Bell parlait de moi en usant du titre de « docteur », dont je n'étais absolument pas investi : il me restait encore à passer toute une série d'examens difficiles avant d'être en droit de me faire appeler ainsi. Mais, trêve de digression… Nous étions tous deux suspendus aux lèvres de notre visiteur.

– Bon, très bien. En 1854, Dr Bell, à l'automne, vous avez été admis dans une salle surpeuplée de l'hôpital, au service des maladies infectieuses, parce que vous souffriez d'un mal qu'on n'avait su diagnostiquer.

– Tout à fait exact. Voilà qui devient intéressant.

– Le médecin chargé de vous suivre était mon oncle, feu le Dr Isa Merriman. Dans la soirée, vous avez eu un violent accès de fièvre. Au dire de sa veuve, mon oncle a passé toute la nuit à votre chevet. Vous avez survécu, vous vous êtes rétabli et vous avez finalement pu quitter l'hôpital. Moins de quinze jours plus tard, mon oncle était inhumé au cimetière de Greyfriars.

– Monsieur, je ne suis pas sûr de bien comprendre : êtes-vous en train de me dire que votre oncle m'a sauvé la vie au prix de la sienne ? Personne ne m'en a jamais parlé. Ma famille, il est vrai, s'est résignée à me faire hospitaliser tant mon cas semblait désespéré, mais j'ignore tout du noble sacrifice auquel vous faites allusion. Ce genre de chose est bien difficile à prouver.

– Monsieur, fis-je, intervenant dans leur conversation pour la première fois. Le Dr Bell ne vous est redevable de rien. Votre oncle a agi librement, de son propre chef. Si douloureux soit ce souvenir, si cruelle soit votre situation actuelle, cela ne vous autorise pas à réclamer des comptes au Dr Bell. Ne nous demandez pas plus que nous n'ayons déjà fait pour vous. Nous ne pouvons que vous offrir notre compassion et vous souhaiter bonne chance.

– Votre oncle… N'avait-il pas une tache de vin

sur le visage ? Là ? fit Bell en désignant sa joue droite.

Le jeune homme acquiesça.

– Oui..., poursuivit Bell, j'ai quelques souvenirs confus de cette nuit de souffrance. Je me souviens qu'il a rafraîchi mon corps avec de la neige ramassée dans la rue. Je me rappelle sa voix, impérieuse, m'exhortant de l'aider, de m'accrocher à la vie. Je me souviens qu'il était fort. Il lui fallait me maintenir les mains pour me laver, pour essuyer mon visage trempé de sueur. Oui, je me souviens de cet homme !

Lambert resta silencieux quelques instants. Puis il se leva, en se cramponnant à la chaise pour ne pas tomber.

– J'ai déjà trop abusé de votre temps, messieurs, dit-il dans un murmure. Et je regrette de vous avoir infligé cette dernière confidence, docteur. Je n'aurais pas dû vous parler de mon oncle, c'était injuste et indigne de ma part. Pardonnez mon manque de tact, qui n'avait d'autre cause que mon inquiétude pour mon frère.

Il fit deux pas en direction de la porte, pâle comme la mort. Il passa devant nous en s'appuyant lourdement à la table d'examen. Ce type avait décidément un toupet incroyable ! J'avais peine à contenir ma fureur. Oser venir demander des comptes au Dr Bell ! Ce n'était rien de moins que du chantage ! Je suivis Lambert des yeux, sans cesser de fulminer intérieurement. Il finit par arriver à la porte du cabinet. Bell, le voyant hésiter sur le seuil, se mit alors à marmonner dans sa barbe :

– Mr Lambert, l'histoire de votre oncle me touche beaucoup. Je comprends bien pourquoi vous me l'avez racontée, naturellement. C'est moi qui ai commencé par parler d'amitié et vous avez alors repris cet argument à votre compte, pensant que je me considérerais comme redevable à un ami. Si vous étiez un peu plus malin, je me méfierais et préférerais ne plus avoir affaire à vous. (Bell se tut un instant, frottant les phalanges de ses doigts contre son menton.) Mr Lambert, reprit-il, je suppose que vous êtes l'intermédiaire de votre frère ?

Lambert acquiesça de la tête.

– Alors vous pouvez lui dire, jeune homme, que je suis tout disposé à lui offrir mes services.

4

Après cette première rencontre avec Graeme Lambert, les événements se précipitèrent. Bell m'envoya ce même jour à la bibliothèque municipale consulter les articles sur le double meurtre qui étaient parus dans les journaux. Dans cette atmosphère de vieux cuir, de bois poli et d'abat-jour verts, je lus tout ce qui avait été écrit sur l'affaire et pris de nombreuses notes. J'y étais entraîné, avec Bell et mes autres professeurs, et cela s'avérait aujourd'hui bien utile.

Dans les grandes lignes, les faits étaient les suivants. Le lundi 21 juillet, à 7 heures du soir, la célèbre soprano Hermione Clery et son amant Gordon Eward avaient été sauvagement assassinés dans le salon du confortable appartement loué à la cantatrice par l'opéra, conformément au contrat passé avec elle. C'était une excellente adresse dans Coates Crescent, à l'ouest de Princes Street, qui formait, avec Atholl Crescent et le parc adjacent, un quartier fort agréable, à la fois chic et bien situé.

Mlle Clery était irlandaise d'origine, mais elle avait étudié la musique en Allemagne avec Liszt et chanté à Londres, Paris, Berlin et New York des œuvres de Mozart, Meyerbeer, Donizetti et Gounod devant des salles qui applaudissaient à tout rompre le moindre écho de sa voix, capable d'envolées lyriques étourdissantes. Même Jenny Lind ne pouvait chanter si haut. Depuis dix ans, ses interprétations de Donna Anna, Norma ou Lucia suscitaient les commentaires élogieux du monde de la musique. Cette année – l'année de sa mort – elle avait même chanté devant la reine Victoria à Stolzenfels, où Mlle Lind avait autrefois fait un triomphe.

Naturellement, la presse se déchaîna après la tragique disparition de la célèbre diva, tant chez nous qu'à l'étranger. Des reporters de Chicago et de New York furent dépêchés sur place et installés à grands frais dans des hôtels luxueux, bénéficiant pour transmettre leurs chroniques quotidiennes des techniques de communication les plus rapides existant de nos jours.

Gordon Eward était le dernier amant en date de la cantatrice, qui en avait collectionné un certain nombre durant sa courte vie, au fil de ses tournées. Elle ne s'était point cachée de sa liaison avec le jeune peintre Gérard Lafleur à Paris, suscitant bien des réprobations, même dans le milieu bohème de Montmartre. Eward n'était ni un écrivain connu ni un peintre célèbre. La vérité était autrement plus banale, puisqu'il était fonctionnaire, employé aux Travaux publics d'Édimbourg, où il vérifiait les comptes de plusieurs services. Les journaux tentèrent bien d'en faire le héros d'une romance, en vain. Un rond-de-cuir aux doigts tachés d'encre n'avait rien de fascinant, même pour la presse américaine.

Eward n'en était pas moins un très beau jeune homme, dont tout le monde disait le plus grand bien. En outre, sa famille était un peu connue en Écosse. Son arrière-arrière-grand-père, un Covenantaire toujours prêt à brandir sa bible, était mort avec ses ouailles lors d'une grève de la faim près d'Aberdeen, en 1780. Son père, ingénieur hydraulique, marqua davantage les mémoires grâce à ses travaux d'irrigation dans les jardins de Princes Street. La passion d'Eward était la musique. Il avait pris des cours particuliers de chant avec Mazzini, mais sa voix était trop fluette pour la scène lyrique. Mlle Clery l'avait rencontré à Menton, où tous deux passaient leurs vacances. Arrivés à Édimbourg séparément au début de la saison, ils se comportèrent avec une admirable discrétion, jusqu'à ce que leur double trépas rendît publique leur liaison.

Le crime eut lieu pendant qu'Hélène André, la bonne française au service de Mlle Clery, était sortie acheter le journal. Elle s'absenta moins de dix minutes mais, dans l'intervalle, les deux amants furent sauvagement assassinés dans le salon.

Mlle Clery gardait des bijoux dans son appartement, d'une valeur estimée à dix mille livres. Elle avait une peur bleue des cambrioleurs, s'étant déjà fait dérober une fortune en pierres précieuses lors de son séjour à Berlin en 1875. Outre les serrures et chaînes habituelles, sa porte d'entrée, au premier étage, était munie de doubles verrous et d'un système de blocage automatique, nécessitant deux clés. Le rez-de-chaussée était occupé par un couple d'âge moyen, Mr et Mrs Osborne, qui entretenait de bonnes relations avec leur illustre voisine du dessus.

Ce soir-là, les Osborne entendirent des bruits à l'étage. La chute d'un objet lourd fit craquer les solives de leur plafond. Intrigué, William Osborne grimpa l'escalier, en pantoufles, pour aller voir ce qui se passait. Il sonna à la porte, mais nul ne vint lui ouvrir. Il redescendit chez lui pour en informer son épouse, puis remonta à l'étage. Au même moment, la bonne revint avec le journal. Osborne lui dit qu'il avait entendu un bruit bizarre, mais elle lui rétorqua que c'était probablement des vêtements qui avaient dû se décrocher de la corde à linge, explication qui ne convainquit guère le voisin. Hélène entra dans l'appartement, laissant la porte ouverte ; Osborne attendit sur le seuil qu'elle vérifiât que tout allait bien à l'intérieur. Elle se dirigea d'abord vers la cuisine. Un homme était alors sorti de la chambre à coucher. Hélène aperçut l'individu, mais de dos.

Osborne pensa qu'il s'agissait d'un visiteur. N'ayant pas songé à mettre ses lunettes, il ne distingua pas bien ses traits. L'homme se dirigea vers la porte d'entrée au moment où Hélène s'apprêtait à pousser celle de la cuisine. Il passa devant Osborne en le saluant « très poliment », mais une fois sur le palier, il dévala les marches quatre à quatre et se précipita au-dehors, faisant claquer la porte derrière lui. Entre-temps, la bonne était ressortie de la cuisine et allée jeter un œil dans la chambre à coucher. « Où est Mlle Clery ? » lui demanda Osborne. C'est alors qu'elle était entrée dans le salon. Là, Hélène découvrit un spectacle qui dépassait en horreur tout ce qu'elle pouvait imaginer. Gordon Eward gisait dans un fauteuil, la tête renversée, la gorge tranchée – une longue et profonde entaille au niveau des fragiles cartilages situés devant les vertèbres cervicales. Une flaque de sang s'était formée sous sa chaise, les premiers jets ayant éclaboussé le mur et les rideaux derrière lui. Curieusement, il y avait très peu de sang sur son corps. L'autre victime, vêtue d'un négligé vert, était étendue sur le sol au milieu de la pièce, comme si on l'avait assassinée alors qu'elle tentait de gagner la porte. Sa blessure était similaire à celle d'Eward, sans être toutefois aussi profonde. On lui avait tranché la veine jugulaire, mais les cartilages de la gorge étaient intacts. Elle s'était vidée de son sang, qui avait ruisselé de son cou blanc et imbibé le tapis. L'assassin n'avait laissé aucune arme, ni aucune trace de pas sanguinolente.

Hélène se mit aussitôt à hurler. Alerté par ses cris, Osborne la rejoignit et découvrit à son tour l'horreur de ce qui, à l'évidence, était un double meurtre des plus abominables. Le temps de recouvrer ses esprits, il avait alors couru en bas, dans la rue. Elle était déserte. Il n'y avait personne en vue. Il envoya sa femme chercher le médecin qui habitait à quelques pas de là. Il se chaussa convenablement pour ressortir et ramena sur le lieu du crime le premier agent de police qu'il trouva, près de Shandwick Place.

Le Dr Mathison examina les corps et constata le décès des deux victimes. Pendant ce temps, l'agent de police découvrit qu'une boîte à bijoux avait été ouverte et que des pierres précieuses avaient roulé un peu partout sur le sol de la chambre. Avec l'autorisation du policier, la bonne partit prévenir Mr Thomas Prentice, l'impresario de Mlle Clery, qui habitait Canning Street. Ultérieurement, on allégua qu'elle aurait alors dit à Mr Prentice avoir reconnu le visiteur qui avait quitté l'appartement précipitamment.

La police prit les dépositions d'Osborne et d'Hélène André, qui lui permirent d'établir la description suivante du suspect :

Un homme entre 35 et 40 ans, mesurant approximativement 1,90 mètre, corpulent, brun et portant des favoris, vêtu d'un manteau gris clair et d'une casquette de drap sombre. Pas d'autres détails.

Si Hélène connaissait le visiteur, cela n'apparut ni dans sa déposition ni dans le signalement communiqué au grand public.

Le mercredi suivant, les autorités purent étoffer cette description grâce à une fille de course de quatorze ans qui vint leur apporter son témoignage : elle avait vu un homme sortir en courant de la maison de Coates Crescent et s'enfuir par Princes Street. En fait, l'homme lui était rentré dedans alors qu'elle courait de son côté vers l'est de la ville. Elle fournit de nouveaux détails sur l'individu, certains contredisant ceux déjà fournis par les autres témoins. La couleur, le style et le tissu du chapeau comme du manteau n'étaient pas les mêmes. Ceci conduisit la police à supposer qu'il y avait peut-être *deux* assassins et non pas un seul.

Ayant ramassé les bijoux éparpillés dans la chambre à coucher, Hélène André s'aperçut qu'une broche de diamant en forme de croissant avait disparu. C'était le seul objet de valeur qu'on avait dérobé. Si le mobile du crime était le vol, rares furent les journaux à s'étonner du fait que beaucoup de sang avait été versé pour un si petit butin. On fit circuler un croquis du bijou volé avec le signalement corrigé des deux suspects.

Le vendredi après le double assassinat, un marchand de bicyclettes du nom de Tobias M'Leod se présenta à l'hôtel de police. Son témoignage entraîna l'arrestation d'Alan Lambert. M'Leod déclara qu'un homme qu'il connaissait, un certain Lambert ou Lamport, avait essayé de lui revendre un ticket du mont-de-piété pour une broche de diamant gagée ressemblant à celle du descriptif. La police se rendit à la boutique du prêteur sur gages, où elle trouva effectivement l'objet et obtint ainsi confirmation de l'identité de son dépositaire. Immédiatement, des affiches portant le nom de Lambert furent placardées bien en vue dans tous les lieux publics. On le mentionnait dans la presse comme « un témoin que la police désire interroger sur l'affaire des meurtres ». La police finit par se rendre à son domicile, dans Howe Street, mais le suspect avait déjà décampé. Il avait vendu ses meubles, loué les trois étages de sa maison et filé à Liverpool. On apprit par la suite que l'homme y avait acheté un billet pour New York, et embarqué sur un paquebot à destination de l'Amérique peu de temps après.

Renseignements pris, il s'avéra que Lambert était un fils de bonne famille qui avait mal tourné. Il avait des ardoises chez tous les commerçants de High Street et était un habitué d'un club de jeu d'India Street. La police eut tôt fait d'en apprendre davantage : Lambert n'avait pas de revenus fixes et, de l'avis général, était un bon à rien. Mais il n'avait jamais eu de problème avec les autorités, n'avait commis aucun délit mineur ni la moindre infraction à la loi. Le crime le plus grave dont il s'était rendu coupable était celui d'ivresse sur la voie publique.

Les inspecteurs étaient certains de tenir leur homme. On contacta la police de New York par le câble transatlantique et le voyageur Alan Lambert alla croupir derrière les barreaux jusqu'à l'arrivée de l'inspecteur Palmer de la police d'Édimbourg, débarqué par le premier bateau, en compagnie de Mr Osborne, d'Hélène André et de Gladys Smith, la fille de course. Les trois témoins identifièrent Lambert, c'était bien « l'homme ». Lambert engagea un avocat américain, qui fut catégorique : ces dépositions n'étaient pas suffisantes pour faire extrader son client. Mais Lambert, qui n'était certes pas le premier ni le dernier à faire preuve de naïveté, n'écouta pas ses conseils et accepta de retourner en Écosse en état d'arrestation. Il attendait maintenant son procès d'assises pour le double meurtre, à la Cour Suprême d'Édimbourg.

5

Conformément aux instructions du Dr Bell, j'assistai à toutes les audiences du procès, sans manquer aucune des quatre journées. Pendant toute la durée les débats, les vendeurs de journaux s'installèrent avec leurs tréteaux sur le trottoir de High Street. Les gens s'attroupaient autour d'eux et n'hésitaient pas à mettre la main à la poche pour avoir des nouvelles fraîches, avides de savoir ce qui se passait à l'intérieur. Des placards en grosses lettres noires renchérissaient dans le sensationnel à grand renfort d'hyperboles sinistres :

HORREUR À ÉDIMBOURG
CLERY SAUVAGEMENT ASSASSINÉE
LE PROCÈS DU SIÈCLE S'OUVRE AUJOURD'HUI

La plus grande salle du Palais de justice était pleine de badauds en mal de sensations, de reporters et de curieux. Ici siégeait la Cour Suprême, la plus haute juridiction pénale au nord de la Tweed. Tout Écossais de souche ne manquait pas de se rappeler, en franchissant le seuil du vénérable bâtiment, qu'il avait autrefois accueilli le parlement indépendant d'Écosse, avant que l'Acte d'Union ne le rende caduc.

Pendant qu'on procédait à l'appel du jury, composé de quinze membres, un nuage d'orage à l'extérieur plongea subitement le tribunal dans une pénombre sinistre, ajoutant à l'ambiance menaçante qui régnait autour de l'homme, pâle et solitaire, assis au banc des accusés.

Ce procès m'offrait l'occasion rêvée de voir la justice en costume d'apparat. Les perruques et les robes, les épitoges blanches et les bandes d'hermine étaient les accessoires d'une mise en scène calculée pour inspirer respect, déférence, mais crainte aussi, devant la majesté du pouvoir judiciaire. Et je dois l'avouer, elle eut l'effet escompté sur moi. Ici l'on débattait de questions de vie ou de mort. Ici l'on décidait du destin d'un homme. Pourtant, voyant le lord Advocate converser avec le procureur[1] en tripotant ses galons d'hermine, ou Adam Veitch, l'avocat de Lambert, écouter les instructions de son secrétaire en étouffant un bâillement, ou encore le juge se rendre à son siège en retroussant sa robe pourpre

1. Il s'agit ici du *Procurator Fiscal*, représentant local dans le système judiciaire écossais du *lord Advocate*. (NdlT)

ornée de croix noires, je faillis bien oublier toute retenue et me mettre à leur crier, comme Lewis Carroll : « Vous n'êtes qu'un tas de cartes ! » Heureusement, je n'en fis rien.

Dans la salle des pas perdus, les témoins attendaient, assis, discutant avec des amis ou leur avocat, certains parfaitement à leur aise, d'autres très impressionnés par la hauteur du plafond, les lustres immenses et les grandes fenêtres, dont les ombres projetées sur le sol par le soleil capricieux s'étiraient tout en longueur, montant jusqu'au mur opposé. Un grand gaillard bâti comme une armoire à glace, les cheveux bruns et frisés, le menton bleuâtre, était campé près de la porte du tribunal comme un majordome. J'appris qu'il s'agissait de l'un des principaux témoins à charge, un policier du nom de Webb. Entre deux suspensions d'audience, il faisait les cent pas dans le hall, comme excédé par la lenteur de la justice. Les autres témoins se comportaient à son égard comme s'il était leur chef. Ils ne cessaient de venir le consulter et Webb dispensait ses conseils avec autorité. De temps à autre, il allait parler à l'oreille de divers magistrats, qui se hâtaient dans les couloirs, l'air important, papiers en main. Parmi tous ces visages, je reconnus la face large et moite de Keir M'Sween, le commissaire adjoint. M'Sween était célèbre pour ses rafles dans la vieille ville, qu'il nettoyait régulièrement des pauvres hères ayant élu domicile dans les courettes sombres de ce dédale de ruelles étroites et tortueuses.

« Mais ils se sont trompés d'homme ! » pensai-je en voyant l'accusé. Lambert ne ressemblait absolument pas au suspect recherché. Bêtement, je me dis qu'il serait rapidement innocenté, puisqu'il faisait à peine un mètre quatre-vingts, qu'il n'était pas corpulent mais maigre comme un clou, qu'il avait les joues glabres et arborait une épaisse tignasse d'un roux flamboyant. Aucun détail ne concordait avec le signalement fourni par la police ni avec ceux que la presse avait publiés jour après jour. Pourtant il était le seul prisonnier sur le banc des accusés. La salle retint son souffle quand, après l'énoncé des charges retenues contre lui, le jeune Lambert se leva.

– Non coupable ! lança-t-il d'une voix claire et un peu tendue.

À la fin de chaque journée passée au tribunal, je retournais au cabinet du Dr Bell pour lui rapporter ce que j'avais vu et entendu.

– Soyez mes yeux et mes oreilles, Doyle, m'avait-il dit. N'omettez rien, aucun de ces petits détails que souvent l'œil censure tout en observant la scène. Colorez vos paroles, s'il le faut, avec vos impressions. C'est en superposant les informations fournies par tous les sens que l'on fait souvent des découvertes, il ne faut donc en ignorer aucune. Je suis sûr que vous êtes un excellent observateur.

Telles avaient été ses instructions, et je partais chaque jour pour le Palais de justice avec mon carnet de notes et mes crayons. Au soir de la première longue journée d'audience, je rejoignis le Dr Bell dans le bureau attenant à son cabinet, où il m'attendait. Il se leva avec excitation en me voyant entrer et m'invita d'un geste à prendre une chaise. Retournant à la sienne, il se frotta les mains puis entrelaça ses longs doigts de virtuose, prêt à m'écouter. Quand je fus assis, il appuya sa nuque contre le dossier de sa chaise puis ferma les yeux.

– Décrivez-moi le juge, dit-il, l'avocat de Lambert et l'avocat de la Couronne.

– Le juge avait l'air mou et endormi, mais on aurait sans doute tort de s'y fier. Lord Cameron n'est pas né de la dernière pluie. Je ne l'ai pas encore vu assez longtemps pour pouvoir formuler des critiques à son sujet.

– Il défendra les conventions et nos rigides valeurs morales écossaises, j'en suis certain. Poursuivez.

– Le lord Advocate est…

– Le lord Advocate ? Le lord Advocate représente la Couronne dans cette affaire ? Très intéressant ! Faites-moi un portrait du personnage.

– C'est un remarquable orateur, qui sait captiver son auditoire. Il m'a rappelé sir Henry Irving dans le rôle de Marc-Antoine quand il a récusé un juré ; ou Henry V devant Harfleur lorsqu'il a annoncé une brève suspension d'audience.

– Excellent ! Il n'hésitera pas à déformer les faits à seule fin de produire un effet rhétorique. Son nom ?

– Sir George Currie, avocat de la Couronne et docteur en droit.

– Ah, mais je le connais ! Il est de Glasgow. Il est vrai qu'il aime s'écouter parler, mais c'est loin d'être un imbécile. Ce n'est pas parce qu'il se gonfle d'importance avec de beaux discours qu'il est creux. Mieux vaut le garder à l'œil. Oui, je me souviens de lui… C'était un jeune homme ambitieux, autrefois. Il a épousé la fille d'un métallurgiste, dans une ville dédiée à la construction navale ! C'est un fin renard. Il voulait être magistrat à la Chambre des lords avant d'avoir cinquante ans. Il y est d'ailleurs parvenu, sans se laisser arrêter par son ulcère à l'estomac. L'avocat de Lambert ferait bien d'ouvrir grand ses oreilles. Qui est-ce ?

– Mr Adam James Weitch, avocat à la Cour et licencié en droit. Un homme compétent et…

– Vous en parlez avec l'honnêteté d'un marchand de poisson. Allons, dites-moi l'impression qu'il vous a faite !

– Il a tout d'un roquet inoffensif, qui aboie après les voleurs sans les empêcher d'entrer dans la maison. Il connaît bien le droit, il sait mener un contre-interrogatoire, mais il manque d'expérience et n'a ni le charisme ni l'éloquence de Currie. Ce matin, il a étouffé un bâillement. Soit ce procès l'ennuie déjà, soit il a passé une nuit blanche à étudier le dossier.

– Bien vu. Il n'aura pas l'audace d'interrompre le grand homme, même si Currie raconte que l'accusé cachait un sabre dans l'une de ses manches et une fiole de strychnine dans l'autre.

– Que faire, alors ?

– Retourner au tribunal demain.

– Mais le dispensaire ? Vos patients ?

– Doyle, le jeune Biggar fera votre travail si je l'y oblige, et pendant ce temps vous ferez le mien au Palais de justice.

– Oh, j'oubliais ! Le procureur assistait aux débats lui aussi.

– Ah ! Sir William Burnham. Le teint rougeaud et le visage congestionné, non ?

– Non, pas à cette heure-là. Il avait les joues plutôt roses, comme après un bain chaud.

– Un bain, quelle prétention !

– Quel est exactement le rôle du procureur ? Je sais vaguement que…

– Vaguement, ce n'est pas suffisant. Bon. Le procureur instruit les affaires judiciaires. Il y en a un pour chaque comté. Il est aussi coroner principal, c'est-à-dire que dans le cadre d'une enquête sur un décès accidentel ou présumé criminel, toutes les décisions passent par lui. Sa fonction lui confère beaucoup de pouvoir. Mieux vaut ne pas plaisanter avec sir William.

Je retournai donc assister aux débats le deuxième jour, ainsi que les deux suivants. Les personnages que j'avais décrits à Bell se détachaient nettement du lot. L'inspecteur Webb et son supérieur hiérarchique, le commissaire de police adjoint M'Sween, restaient, eux, dans la salle des pas perdus, ou se glissaient parfois au dernier rang. Une fois, je vis Webb devant le Palais de justice avec un appareil photographique monté sur trépied, prenant des clichés des gens venus se mettre à l'ombre des rayons brûlants du soleil de midi.

Dans la salle d'audience, j'écoutai les déclarations des trois témoins ayant identifié l'accusé et celle de l'homme à qui il avait voulu revendre le ticket de gage pour la broche en diamant. Lambert avait été aussi identifié par un quatrième témoin : celui-ci l'avait vu rôder dans la rue, plus d'une fois, avant le crime. On souligna que, hormis les témoignages peu fiables d'une maîtresse et d'une domestique, l'accusé n'avait aucun alibi pour justifier son emploi du temps durant les heures qui avaient précédé et suivi la fatale agression de Mlle Clery et Gordon Eward. Lors du contre-interrogatoire de la domestique de Lambert, le lord Advocate parvint à lui faire reconnaître que la maîtresse de Lambert recevait parfois des visiteurs lorsque celui-ci s'absentait. George Currie donna ainsi au jury le sentiment que Lambert gagnait peut-être sa vie grâce aux subsides de la prostitution, qu'il vivait en tout cas bien au-dessus de ses moyens, et dans une immoralité qu'aucun d'entre eux, jurés écossais, ne cautionnerait.

Sir George n'interrogeait pas les témoins, il les harcelait, les malmenait. Et quand ils s'emmêlaient dans leurs propos, se mettant à bredouiller à la barre, il roulait des yeux en direction du jury, avec l'air de dire qu'il n'y avait rien à faire avec ce genre de témoins récalcitrants, qui l'empêchaient d'instruire convenablement les éléments du dossier.

– Messieurs les jurés, je pourrais vous exposer sept conclusions importantes – oui, sept ! – que je tire de ce dernier témoignage. J'espère que vous ferez de même.

Interrogeant Hélène André, la bonne, sir George chercha encore à insinuer que l'assassin avait délibérément choisi le moment où elle sortait acheter le journal du soir. À ses yeux, cette coïncidence « prouvait » la préméditation. La bonne avait pourtant deux demi-journées de congé hebdomadaires, qui offraient au meurtrier une occasion plus belle encore d'accomplir son forfait, mais l'argument ne sembla guère émouvoir sir George. Représentant le parquet, il fut sans pitié avec les témoins de la défense. Après être passés à la barre, ils se sauvèrent tous de la salle d'audience comme si une armée de furies vengeresses étaient à leurs trousses.

Mais lors des dépositions et contre-interrogatoires, sir George s'était contenté de jouer avec les témoins. Quand vint le moment de présenter ses conclusions au jury, le magistrat sortit l'artillerie lourde. Après la suspension de séance de la matinée, il prit la parole. Debout, il discourut sans discontinuer deux heures durant, s'échauffant au fur et à mesure. Il commença son réquisitoire d'une voix basse et profonde, la main gauche sur une petite pile de livres posés sur la table, une feuille de papier dans la droite.

– Messieurs les magistrats, messieurs les jurés, au soir du 21 juillet dernier, deux jeunes gens, une artiste belle et talentueuse et un fonctionnaire promis à un brillant avenir, n'ayant ni l'un ni l'autre, pour autant que nous le sachions, aucun ennemi, ont été retrouvés assassinés dans l'appartement de la victime de sexe féminin, situé au premier étage d'une maison de Coates Crescent, dans cette ville. La barbarie du meurtre et l'état dans lequel on a retrouvé ces deux personnes défient toute description…

La salle était tout ouïe, suspendue à ses lèvres, indifférente au reste du monde. Le Palais de justice aurait pu prendre feu sans que nul ne bougeât de son siège. Sir George exerçait sur nous une fascination digne d'Irving ou Mesmer. Nous l'écoutions parce que nous ne pouvions faire autrement. Il nous fit le portrait de l'accusé, qu'il nous dépeignit comme une bête immonde se vautrant dans le vice et le péché, sortie de sa tanière pour s'emparer de la vie d'une brillante artiste, dont le talent lui resterait à jamais inaccessible, malgré tous les efforts de sa fruste imagination. Sir George nous le décrivit rôdant dans le quartier, préparant puis exécutant son crime. Il nous expliqua que l'accusé, d'un coup de couteau, avait tranché la plus belle gorge du pays, réduit au silence la plus grande voix de ce siècle et sali le nom de notre ville dans toutes les capitales culturelles.

– Hier encore, poursuivit le lord Advocate, je me serais inquiété, vous sachant confrontés à une difficulté de taille, messieurs les membres du jury : il est bien difficile, en effet, de concevoir qu'un être humain puisse être capable d'un crime aussi odieux.

Mais cette difficulté, messieurs, a cessé d'en être une depuis que nous avons appris, de la bouche d'une personne qui connaît apparemment le prisonnier mieux que quiconque, que cet individu a touché le fond de la déchéance humaine, selon les lois universelles qui régissent ce bas monde, le proxénétisme étant le dernier degré de la dépravation. Quand on tombe aussi bas, on perd toute dignité et tout sens moral. Cette difficulté évincée, je n'hésite plus à dire que l'homme assis au banc des accusés est capable d'avoir commis ce crime abominable…

D'une voix de plus en plus vibrante, il parla et parla encore. Il revint sur chacun des faits, dont le meurtre barbare et totalement gratuit d'Eward, l'assassin ne s'attendant pas à trouver une deuxième personne dans l'appartement, puisque la bonne était sortie. Son réquisitoire était éblouissant. Quand il se rassit enfin, une irrésistible envie d'applaudir me saisit. J'avais l'impression d'avoir écouté l'un des grands acteurs ou prêcheurs de notre temps. La salle resta muette pendant de longues minutes.

L'avocat de la défense se lança ensuite dans un court plaidoyer dont la logique laissa de marbre tous les membres du jury. Même le juge, se contentant de récapituler les chefs d'accusation à l'intention des jurés, s'exprima avec une éloquence qui faisait écho à celle du lord Advocate. La journée d'audience touchant à sa fin, le jury se retira pour délibérer.

Je partis faire mon compte rendu à Bell, qui, cette fois, me reçut chez lui, dans son salon, au premier étage de sa maison de Lothian Street. Le désordre de son intérieur trahissait le vieux célibataire. Des livres et des papiers encombraient toutes les surfaces planes disponibles, des rangées d'ouvrages médicaux s'alignaient le long des murs, un microscope et un autre instrument scientifique disparaissaient à demi sous une robe de chambre négligemment jetée au travers de la table. Avec ses fauteuils en cuir, c'était une tanière confortable, mais il n'y avait nulle trace d'intervention féminine. Il m'offrit un siège près de la fenêtre donnant sur le muséum, où je me mis en devoir de lui raconter ce que j'avais vu et entendu, veillant à ne pas sciemment embellir les faits.

– Il a improvisé ce long discours sans même jeter un œil à sa feuille ! conclus-je néanmoins avec enthousiasme, m'efforçant de recréer l'ambiance du tribunal. Sans avoir besoin d'aucune note !

– Ce qui explique cette accumulation d'inexactitudes, marmonna sèchement Bell.

– Pardon ?

– Dans votre compte rendu, j'ai relevé pas moins de vingt-cinq erreurs dans l'exposé des faits et diverses fautes dans les conclusions. Si j'en crois, évidemment, le résumé que vous m'avez fait des audiences. Par exemple, le lord Advocate avait annoncé la chose suivante dans son discours d'introduction : « Au cours de la procédure, nous montrerons comment le prisonnier a appris que Mlle Clery possédait ces bijoux. »

– Oui, je me rappelle.

– Vous n'avez pas manqué une seule journée du procès. A-t-on cherché une seule fois à éclaircir ce point ? Sir George a promis au jury de démontrer le lien entre l'accusé et les bijoux de la cantatrice. A-t-il tenu sa promesse ? À moins que vous ayez omis de m'en parler, il me semble qu'il ne l'a pas fait. Pire encore, le juge, dont c'est pourtant le rôle de relever ce genre de faille, n'a même pas signalé, dans son récapitulatif, l'oubli du lord Advocate.

– Que faut-il faire ?

– Pour le moment ? Rien. Si les jurés ont un peu de jugeote et savent se servir de leurs yeux comme de leurs oreilles, ils auront matière à trouver des éléments en faveur de l'accusé. Il n'y avait aucune ressemblance entre le signalement de l'homme recherché et le prisonnier. Mais si, comme je le crains, leurs oreilles résonnent encore du réquisitoire plein de bruit et de fureur de sir George Currie, le lord Advocate triomphera et notre homme sera déclaré coupable. Quoi qu'il en soit, nous ne pouvons rien faire pour l'instant. En attendant…

– Oui, Dr Bell ?

– Puis-je vous offrir un verre de sherry ?

6

Le jury, qui était resté cloîtré toute la nuit, délibéra encore une heure et dix minutes avant de rendre son verdict à l'audience de la matinée. Les jurés pénétrèrent pour la dernière fois dans la salle du tribunal, évitant soigneusement de poser leur regard sur l'assistance. Le juge, lui, retourna à son siège en balayant du regard la foule comme pour compter les gens. Le greffier de la Cour se leva.

– Quel est votre verdict, messieurs ? demanda-t-il aux jurés.

– À la majorité, annonça leur porte-parole, consultant le papier qu'il tenait à la main, le jury déclare l'accusé coupable de l'ensemble des charges retenues contre lui.

Ils l'avaient jugé coupable ! Le vote était le suivant : coupable, neuf voix ; non-lieu, cinq voix ; non coupable, une voix. La salle, qui avait retenu son souffle lorsque le porte-parole du jury s'était levé, respira enfin. Lambert bondit sur ses pieds.

– Monsieur le juge, puis-je avoir mon mot à dire ? Me laisserez-vous parler ?

Le bourdonnement des voix cessa subitement ; tout le monde avait les yeux rivés sur l'homme au banc des accusés.

– Veuillez vous rasseoir, lui intima le juge d'un ton qui n'admettait pas de réplique.

Puis il fit signe au greffier de poursuivre, soucieux du respect de la procédure.

– Est-ce là votre verdict ? s'enquit le greffier.

Le porte-parole hocha la tête et déclara que oui. Avec une hâte un peu indécente, le second avocat de la Couronne se leva à son tour :

– Je demande que la sentence soit prononcée.

Sa déclaration fut accueillie comme s'il avait crié des insanités en plein tribunal. Le prisonnier se mit à protester farouchement de son innocence, réclamant justice, s'indignant du non-respect de ses droits.

– Monsieur le juge, je suis revenu ici de mon plein gré… pour me défendre. Je n'ai jamais été mêlé à cette affaire ! Vous condamnez un innocent !

Le juge blêmit. Il se mit à essuyer ses lunettes d'un air absent avec l'un de ses galons blancs.

– Dites au prisonnier qu'il ferait bien de garder ses déclarations pour les représentants de la Couronne, lança-t-il en direction de Mr Veitch.

Puis deux officiers emmenèrent le prisonnier, qui se débattait comme un beau diable, dans une cellule à l'étage inférieur. Quand il fut un peu calmé, on le ramena au banc des accusés. Il serrait les poings si fort que les jointures de ses doigts étaient devenues blanches. Le juge coiffa solennellement sa toque noire et condamna Lambert à attendre en prison son exécution par pendaison. Après les débats houleux du procès, la sentence fut accueillie avec soulagement par les magistrats de la Cour, avec émotion par la plupart des gens dans la salle et avec indifférence par le juge, pour qui la peine capitale ne semblait pas plus grave qu'une condamnation pour un menu larcin. Je regardai les visages des quinze jurés, essayant de deviner à leur expression quels étaient ceux qui ne croyaient pas à la culpabilité du pauvre Lambert.

Je retournai à Lothian Street avec cette triste nouvelle, que Bell s'efforça d'accueillir aussi calmement que possible.

– Bien, nous avons intérêt à nous remuer, dit-il. L'exécution n'aura probablement pas lieu avant trois semaines. Si la tradition est respectée, notre homme sera pendu le jeudi 23.

– Oui, renchéris-je. Cela a été annoncé dans la sentence. J'aurais dû vous le dire.

– Mon ami, puisque la justice écossaise ne permet pas de faire appel dans ce genre d'affaire, nous n'avons pas une minute à perdre. Il va falloir nous montrer malins, lire entre les lignes des preuves présentées au procès.

– Lire entre les lignes des preuves, comment ça ?

– Les preuves présentées au tribunal sont celles qui ont été consignées par avance dans les annales. Mais la police a probablement eu connaissance d'autres éléments, qui n'ont pas tous été versés au dossier lors de l'instruction ; le procureur, de son côté, dispose de certaines informations qu'il n'a pas forcément communiquées à l'avocat de la défense.

– Mais c'est scandaleux !

– C'est une pratique courante dans ce pays. La théorie c'est bien joli, mais on ne peut s'empêcher de cultiver un certain cynisme quand on est confronté concrètement à la justice. Le problème, c'est que nous ne disposons d'aucun moyen légal d'avoir accès à ces informations. Nous allons donc devoir remonter à la source nous-mêmes.

– Bien ! Par quoi allons-nous commencer ?

– Eh bien, par le prêteur sur gages, mon cher ami. Le prêteur sur gages !

Nous montâmes dans l'un des fiacres alignés devant le muséum et donnâmes l'adresse au cocher, qui lança son cheval sans se douter que la vie d'un homme dépendait des découvertes éventuelles que nous ferions chez Aiken, prêteur sur gages à Rose Street. Tandis que nous roulions, Bell réfléchissait tout haut, mordillant le bout de ses gants de cuir.

– Bon sang ! Nous ne pourrons jamais lire les dépositions préliminaires recueillies par la police.

– Les dépositions préliminaires ?

– Les procès-verbaux rédigés par les enquêteurs lors de la toute première audition des témoins. L'accusation a monté son dossier à partir de ces documents. Quel dommage que je ne sois pas détective privé, Doyle ! J'aurais eu des amis dans la police susceptibles de nous donner accès aux dépositions préliminaires. Mais notre ami Graeme Lambert savait bien que nous étions des amateurs quand il est venu nous demander de l'aide. Seulement, si nous échouons, les conséquences seront très graves pour son frère ! Et ressusciter un pendu, c'est au-delà de mes compétences médicales.

Le fiacre s'engagea à grand fracas dans le Mound, traversant la voie ferrée qui passait près de la National Gallery. De là, on était à un jet de pierre de Rose Street, rue bien connue pour ses estaminets et ses maisons closes. On apercevait de loin les trois boules de cuivre oxydées signalant la boutique d'Aiken. Bell paya la course et nous descendîmes du cab. Un vent froid soufflait dans la rue, emportant les feuilles mortes accumulées dans les caniveaux. Une cloche retentit lorsque j'ouvris la porte de la boutique à mon ami.

Nous nous avançâmes vers le comptoir du magasin, derrière lequel un homme d'âge moyen portant des binocles aux verres épais nous accueillit d'un froncement de sourcils. Il déplaça une horloge en chrysocale posée sur un présentoir.

– En quoi puis-je vous être utile, messieurs ? s'enquit-il d'une voix mielleuse qui me fit penser à un déplaisant personnage de Dickens.

– Je suis désolé d'interrompre votre dîner, monsieur, et surtout, de vous obliger à vous lever alors que vous préféreriez sûrement rester étendu.

– Je vous demande pardon ? Comment savez vous que…

– Ce n'est pas bien difficile, Mr Aiken, si toutefois c'est bien vous. Vous avez des miettes sur votre gilet ainsi que sur le menton, et une forte odeur de liniment émane de votre personne. Je note aussi que vous prenez davantage appui sur votre pied gauche. Si vous voulez, je vous laisserai une ordonnance pour soulager votre douleur.

– Mais enfin, monsieur, vous n'êtes certainement pas venu ici pour prendre des nouvelles de ma santé !

L'homme dit cela sur le ton du constat, mais sa phrase était bien une question. La perspicacité du prêteur sur gages fit sourire Bell.

– Mon ami et moi cherchons à vérifier certains détails relatifs à l'affaire Lambert.

– Ah, le malheureux ! J'ai suivi son procès dans les journaux. Mon voisin vient justement de m'apprendre que le petit gars a été condamné. Il ne lui reste plus que trois semaines à vivre et… (Les mains autour du cou, le prêteur sur gages mima le sort qui attendait notre client pour le 23.) Je le connaissais bien, ce jeune homme, vous savez. Dans un commerce comme le mien, messieurs, on est amené à rencontrer toutes sortes de gens. Qui aurait cru que… ?

Et de nouveau, il acheva sa phrase par une pantomime de strangulation.

– Dites-moi ce que vous savez au sujet de cette broche qu'il est venu gager chez vous, lui demanda Bell d'une voix autoritaire qui coupa court aux simagrées de son interlocuteur.

– Une belle pièce, dit-il. Une très jolie broche. Une véritable œuvre d'art, je vous le garantis.

– Quand vous l'a-t-il apportée ?

– Voyons voir, voyons voir, fit-il en frottant son menton grisonnant avec le dos de sa main, faisant tomber les miettes de son dîner. J'ai la date ici, dans mon registre, ajouta-t-il, humectant son index avec la langue pour en feuilleter les pages. Voyons voir, voyons voir, continuait-il à répéter.

Son doigt finit par s'arrêter en bas d'une colonne.

– Montrez-moi ça ! aboya presque Bell.

– Qu'est-ce que c'est, Otto ? s'enquit une femme plantureuse aux cheveux auburn.

Le prêteur sur gages se retourna, l'air bien embarrassé, et clopina jusqu'à elle. Ils se mirent à discuter à voix basse dans une langue que je ne connaissais pas, mais leurs intonations trahissaient une vive agitation. Les immigrés ont horreur des intrusions et se méfient de tous les étrangers qui viennent frapper à leur porte. Ensemble, l'homme et la femme tournèrent alors leurs regards vers Bell et moi : nous représentions ce monde hostile qui les menaçait jour et nuit.

– Mon épouse…, fit le prêteur sur gages en désignant bien inutilement la femme qui fronçait les sourcils à son côté. Excusez-moi, messieurs, mais la police nous a dit de nous méfier, si l'on venait nous poser des questions comme vous faites. Je suis désolé, je ne peux malheureusement rien faire de plus pour vous. Si je le pouvais, croyez-moi, je n'hésiterais pas à…

De nouveau, il s'interrompit. Il avait sans nul doute remarqué que Bell, les ignorant totalement, lui et sa femme, s'était emparé du registre, qu'il examinait avec attention.

– S'il vous plaît…

– Enfin, monsieur ! lança la grosse épouse du prêteur sur gages. De quel droit…

Bell, sans leur prêter la moindre attention, se tourna vers moi :

– Doyle, on a déposé la broche trois semaines avant le crime et personne n'est venu la récupérer entre-temps, m'apprit-il, avant de foudroyer du regard Aiken, dont les yeux fuyants larmoyaient. Cette fois, vous avez intérêt à me dire la vérité sur cette broche !

– La police a exigé mon silence, messieurs.

– Continuez comme ça et vous irez casser des cailloux à Peterhead, je vous le promets !

– La broche, il m'a dit que c'était celle de sa mère. Un héritage. Il avait l'air d'y tenir beaucoup. Je lui ai prêté ce que je pouvais. Pas autant que ce que valait le bijou, bien sûr, je suis un homme d'affaires. Dans mon métier, il faut un minimum de bon sens. Mais vous avez raison, la date qui figure sur le ticket est bien la même que celle de mon registre.

– Alors les enquêteurs savent bien qu'il ne s'agit

pas de la broche volée sur le lieu du crime ! Cela fait même deux mois qu'ils le savent ! La police était au courant depuis le début !

– Je n'arrive pas à y croire, marmonnai-je.

– Si vous pouviez faire en sorte de ne pas mêler nos noms à cette histoire, messieurs, nous vous en saurions infiniment gré.

– Cette broche était la seule preuve concrète permettant d'établir un lien entre Lambert et le crime. Et voilà que ce maillon se défait ! Il n'a même jamais existé !

– C'est M'Leod, le marchand de bicyclettes, qui en est à l'origine, dis-je pour l'aider. Il a déclaré que Lambert, ayant besoin d'argent, avait essayé de lui revendre le ticket de gage.

– Oui, mais la broche se trouvait à la boutique depuis longtemps. Il l'avait déposée bien avant d'avoir besoin de l'argent que la vente du ticket aurait pu lui rapporter.

– C'est vrai, sir. Il a versé régulièrement des traites pour désengager l'article avant de fuir le pays, ajouta le prêteur.

Sa femme renchérit de la tête.

– Où est la broche maintenant ? lui demandai-je.

– Oh, monsieur, la police l'a confisquée. « Pièce à conviction », ils ont dit.

– Bah ! Une broche en diamant, ce n'est pas une grosse perte dans cette boutique, fit Bell. Venez, Doyle, nous avons encore beaucoup à faire, mais plus rien ici.

Il se dirigea vers la porte, me laissant prendre congé du prêteur et de sa femme et les remercier d'un signe de tête. Je suivis Bell dans la rue, où il héla un fiacre à l'angle de Castle Street. Tandis que je m'engouffrai derrière lui, il se mit à renifler l'odeur âcre de l'air.

– Je flaire une piste, Doyle ! Dépêchons ! Nous n'avons pas une minute à perdre !

– Et où allons-nous ? m'enquis-je, incrédule.

– À la gare de Waverley, attraper le 12 h 15 pour Liverpool.

7

Dans le train, Bell m'emprunta mes notes concernant la fuite de Lambert, depuis son départ d'Édimbourg jusqu'à son arrivée en Amérique. Nous eûmes le compartiment pour nous seuls pendant la majeure partie du voyage, ce qui permit à mon ami – je me sentais à présent le droit de donner ce nom à mon professeur et bienfaiteur – de fumer tranquillement sa pipe tandis que le train filait vers le sud. En un autre moment, cette escapade m'aurait mis en joie. Quelques arches gothiques sans toit dressées vers le ciel, des châteaux perchés sur les collines et les estuaires des rivières à saumon parvinrent bien à me distraire de temps à autre de mes préoccupations, mais le reste du paysage aurait tout aussi bien pu n'être qu'une peinture de cyclorama. Je n'étais pas d'humeur à me laisser subjuguer par les beautés de la nature ni par les ouvrages de l'homme.

Une fois à Liverpool, nous traversâmes Lime

Street et nous rendîmes à pied au North-Western Hotel, où Lambert avait passé sa dernière nuit de liberté. Les visages typiquement britanniques des Anglais me choquaient bien davantage ici, à Liverpool, qu'à Londres. Leur teint avait la couleur du petit-lait, leur expression était sans joie, leurs yeux mornes, même si la plupart des gens étaient moins crasseux que ceux que je rencontrais quotidiennement dans la salle d'attente du dispensaire, chez nous, à Édimbourg. Notre petite marche depuis la gare me permit de prendre la pleine mesure de la pauvreté des bâtisses le long de la rue qui descendait jusqu'au port animé. À Édimbourg, nous vivions au milieu de grands immeubles délabrés ; ici, les gens connaissaient des conditions tout aussi précaires, mais ils n'avaient pas sous les yeux le souvenir d'un passé glorieux.

Bell retint une chambre double et nous dînâmes dans un spacieux restaurant haut de plafond attenant à l'hôtel, où nous fûmes trop heureux de pouvoir nous effondrer après ce long voyage.

Le repas apaisa notre faim, mais ne nous flatta guère le palais. Nous allâmes ensuite traîner dans le port, le long des quais défendus par de hautes barrières en bois, derrière lesquelles nous aperçûmes des grues métalliques, des balances romaines et divers palans utilisés pour le chargement des marchandises. Nous nous apprêtions à en faire le tour quand un policier nous accosta, nous demandant ce que nous venions faire sur les docks de Sa Majesté à cette heure. Je lui expliquai que nous arrivions d'Écosse et que nous étions venus prendre l'air avant de rentrer à notre hôtel.

– Le nom de votre hôtel, monsieur ? s'enquit le policier.

Il enfonça sa casquette sur son crâne en entendant ma réponse.

– Ah ! Le North-Western, répéta-t-il. L'assassin d'Édimbourg a dormi là, lui aussi, avant de filer en Amérique. Vous savez, celui qu'on va pendre dans quelques semaines. On va vous envoyer notre vieux Marwood, chez vous, dans le Nord pour lui régler son compte. Sans supplément.

– Monsieur l'agent, vous m'avez l'air très au courant de toute l'affaire. Je suppose que la police d'Édimbourg a envoyé ici de nombreux inspecteurs ?

Le visage du policier était rouge et brillant comme une pomme et, exception faite de sa moustache, parfaitement lisse.

– Ça oui ! Ils ont même envoyé leur numéro un, le lieutenant détective Bryce. J'ai discuté avec lui à la gare, c'est le meilleur flic que j'aie jamais rencontré.

– Il paraît que c'est un inspecteur très consciencieux, dit le Dr Bell.

– La Reine l'a décoré de l'ordre du mérite pour services rendus à la nation. Mais vous devez avoir entendu parler de lui : le meurtre du ferry de Wilkhaven, c'est lui qui l'a résolu. Il y a cinq ou six ans, si ma mémoire est bonne.

– C'était en 1875, précisa Bell, ajoutant à mon intention : au procès, Bryce a apporté une preuve qui a permis d'invalider les témoignages de plusieurs soi-disant « témoins oculaires ». Ils étaient prêts à tout pour obtenir la récompense offerte par la police. Certains vendraient père et mère pour une bouchée de pain.

– Pour sûr, le meilleur inspecteur de police que vous rencontrerez jamais, répéta l'agent.

– Probablement, fit Bell d'un ton pensif. John Ormiston Bryce est bien comme vous dites, monsieur l'agent, ce qui rend notre tâche ici à Liverpool d'autant plus difficile.

Nous prîmes congé du policier, qui nous salua poliment. Nous nous éloignâmes sous son regard soupçonneux, fuyant la forte odeur de lotion capillaire qui émanait de sa personne. Les docks de Liverpool étaient bien surveillés. Dieu sait ce qui nous serait arrivé s'il nous avait surpris avec un appareil photographique à trépied.

Nous rentrâmes à l'hôtel sous une pluie fine. Il n'y avait plus personne dans le hall d'entrée. Les Anglais étaient apparemment des gens très prévoyants : ceux qui comptaient passer la nuit ici étaient déjà arrivés, ceux qui devaient partir s'en étaient allés depuis longtemps. Assis derrière le comptoir, le réceptionniste nous regarda approcher d'un air méfiant et se mit à feuilleter précipitamment les pages de son registre. Le vent s'était levé avec cette averse soudaine et s'engouffra dans le hall, faisant voler quelques feuillets.

– Bonsoir, Mr Arbuthnot, fit Bell, lisant la petite pancarte posée sur le bureau derrière le comptoir. Alors, vous vous plaisez à Liverpool ? Pour quelqu'un qui vient de s'installer ici, vous semblez vous être vite acclimaté.

Le réceptionniste prit un air maussade. On aurait dit qu'un diseur de bonne aventure lui avait annoncé un brillant avenir auquel il ne croyait pas du tout. Il jeta des regards inquiets vers la porte, avec l'air de vouloir héler un agent de police.

– Monsieur ? se résigna-t-il à répondre d'un ton presque revêche. À qui ai-je l'honneur ?

– Nous sommes les clients de la chambre 308. Vous vous demandez comment je connais votre nom et votre récente arrivée dans cette ville ? Alors permettez que je m'explique : je me suis contenté de lire la pancarte posée sur votre bureau et de regarder votre costume. Il vient sûrement d'un tailleur de Lawnmarket à Édimbourg : on ne trouve nulle part ailleurs de col de cette coupe, excepté à Milan, et vous n'êtes certainement pas un grand voyageur, mon ami. En outre, Arbuthnot est un patronyme écossais. Des médecins, des ecclésiastiques, des amiraux et de grands esprits portent ce nom, comme vous le savez sans doute. Votre tailleur est d'Édimbourg, mais votre chemise et votre cravate sont anglaises. Je devine à ce détail que vous travaillez ici depuis moins de six mois.

– Cinq mois et demi, monsieur. Seriez-vous l'un des détectives ? On m'a dit que je n'aurais pas besoin de témoigner au procès, alors je ne pensais pas vous revoir de sitôt. Mais j'ai appris que vous avez eu votre homme ! Il a bien mérité la corde, pas vrai ? Ça lui servira de leçon. Quel gâchis, quand on y pense ! Tuer cette chanteuse d'opéra, Hermione Clery…

– Oui, ça lui fera une bonne leçon, qu'il ne risque pas d'oublier.

– Mais vous enquêtez encore sur cette affaire, monsieur ? Je croyais que c'était fini et qu'on n'y reviendrait plus.

– Juste quelques détails à vérifier, Mr Arbuthnot. La routine, comme on dit. Par exemple, est-ce que vous avez toujours la fiche que le coupable a remplie en descendant ici ?

– Bien sûr, tout est là, dans le registre.

Il alla à son bureau et en sortit un cahier identique à celui que nous avions rempli à notre arrivée. Il en feuilleta rapidement les pages puis le tourna vers nous pour que nous puissions le lire.

– Voyez, monsieur. Il a noté son nom et son adresse.

Effectivement, il y avait écrit :

Alan Lambert, 1 Howe St., Édimbourg
c/o Cunard Steamships,
New York City, New York, USA

– Parfait ! s'exclama Bell en refermant brusquement le registre qui émit un bruit sourd. Mais, dites-moi, Mr Arbuthnot, le lieutenant détective Bryce ne vous a-t-il pas dit que le registre devait être remis aux autorités comme pièce à conviction ?

– Si, répondit le réceptionniste. Mais l'autre policier, vous savez, Mr Webb, il m'a expliqué qu'ils n'avaient pas besoin de l'emporter, du moment que je le gardais sous clé. Vous voyez, j'y fais bien attention. Si les reporters et les journalistes mettaient la main dessus, Dieu sait ce qu'ils en feraient ! Mr Crombie, de la compagnie maritime Cunard, m'a dit qu'il avait reçu des instructions similaires de Mr Webb. Mr Crombie m'a raconté que l'inspecteur Bryce n'en revenait pas : Lambert a aussi donné son vrai nom pour réserver son billet. Pourquoi a-t-il fait ça, selon vous, monsieur ?

– Il pensait être plus malin que la police, Mr Arbuthnot. Certains malfaiteurs poussent même la ruse jusqu'à signer de faux chèques de leur vrai nom.

– Je vois, monsieur.

Bell avait haussé un sourcil à mon intention quand Arbuthnot avait mentionné l'inspecteur Webb. Je me rappelais sa mine patibulaire, son attitude autoritaire avec les témoins dans la salle des pas perdus. Ce souvenir me faisait froid dans le dos.

La conversation avec le réceptionniste s'acheva sur des banalités d'usage – la pluie et le beau temps, le mal du pays – après quoi il nous souhaita bonne nuit et nous indiqua le chemin du bar de l'hôtel, où je me sentis enfin libre d'exprimer le fond de ma pensée à Bell et de lui poser les questions qui me brûlaient les lèvres. Mais nous commandâmes d'abord chacun une pinte de la bière locale, que le réceptionniste nous avait recommandée. Après quelques gorgées, je me sentis un peu plus calme et capable de remettre de l'ordre dans mes idées.

– Allez-y, Doyle, videz votre sac ! Je vois bien que vous mourez d'impatience de me dire ce que vous pensez. Je vous en prie, faites-moi part de vos observations.

– Cher Dr Bell…

– Pour l'amour de Dieu ! Cessez de me donner du « Dr Bell » quand nous buvons une mousse ensemble ! Vous vous appelez Conor, c'est bien ça ?

– Conan, si cela ne vous fait rien, Joseph.

– En ce qui me concerne, « Joe » me conviendra parfaitement, Conan. Ah oui… votre parrain s'appelait Conan, lui aussi ! Et le plus doué des caricaturistes de Grande-Bretagne, le célèbre Dicky Doyle de *Punch*, est de votre famille, n'est-ce pas ? Bon, revenons à nos moutons. Vous disiez ?

– En quelques heures, nous avons réussi à découvrir qu'Alan Lambert, criminel en fuite, est descendu à l'hôtel sous son vrai nom, a donné sa véritable adresse à Édimbourg et réservé sa place sur un transatlantique sans chercher à masquer son identité.

– Il a même facilité la tâche à ses poursuivants, en laissant à l'hôtel l'adresse du bureau de la compagnie Cunard pour son courrier. Si demain matin Mr Crombie se montre aussi obligeant que Mr Arbuthnot, nous aurons fini à temps pour rentrer par le train de midi.

– Mais Joe, on n'a jamais vu un homme traqué par la justice laisser autant de traces derrière lui !

Bell me dévisagea d'un air pensif, comme dans l'amphithéâtre de la faculté de médecine quand un étudiant lui faisait une réponse idiote.

– Vous vous attendiez à autre chose ? me demanda mon ami en souriant de toutes ses dents.

8

Comme Bell l'espérait, Mr Crombie nous raconta volontiers, sans que nous ayons besoin d'user d'aucune ruse, que Lambert avait effectivement donné sa véritable identité en achetant son billet ainsi que sa dernière adresse sur Howe Street à Édimbourg, et demandé à la compagnie de lui garder son courrier, en attendant qu'il leur communiquât ses nouvelles coordonnées à New York. Plus surprenant encore, Lambert avait effectué une réservation par la poste et versé dix livres d'arrhes *trois semaines* avant l'assassinat de Mlle Clery et de son ami.

Dans le train qui nous ramenait à Édimbourg, Bell resta plongé dans ses pensées, la tête calée contre le dossier de son siège. Tous les arrêts le laissaient indifférent ; seul un incident grave, comme le déraillement du train, aurait pu le faire réagir. Je voulais passer en revue avec lui les différentes hypothèses et conclusions découlant de ces nouveaux éléments, mais Bell s'était muré dans le silence. Je pouvais toutefois déjà réfléchir aux idées qui m'étaient venues, sans avoir besoin de consulter mon compagnon.

Pour commencer, nous n'avions eu aucun mal à obtenir les renseignements voulus : la police avait donc vraisemblablement dû les recueillir avec la même facilité. Ces éléments n'avaient pourtant pas été présentés au procès. Les inspecteurs étaient censés faire remonter l'information à sir William Burnham, le procureur, par l'intermédiaire du commissaire de police. Si on ne l'avait pas non plus communiquée à l'avocat de la défense, comment ce dernier aurait-il pu prouver que l'accusé n'avait pas agi comme un criminel en fuite ? Lambert avait simplement décidé de quitter Édimbourg et de s'installer en Amérique : mais on ne savait pas dans quelles circonstances, ni pour quelles raisons. Je notai dans mon carnet qu'il nous faudrait éclaircir ce point à notre retour. Lambert avait par ailleurs voulu revendre son ticket de gage à M'Leod : ce détail pouvait effectivement laisser penser que l'accusé, aux abois, avait été pris de panique. D'un autre côté, son départ n'avait rien eu de précipité : il avait d'abord liquidé ses meubles, mis sa maison de Howe Street en location, clôturé ses comptes bancaires, etc.

Une autre idée me vint : Lambert était peut-être un criminel diaboliquement intelligent, comme dans les nouvelles de Poe et de Gaboriau. De ce genre d'assassins qui sèment délibérément des indices pour tromper la police. Qui ne laissent rien au hasard, dont tous les actes sont prémédités. Partant de cette hypothèse, je la confrontai à la logique de la chronologie. Au moment des faits, Lambert ne pouvait pas savoir que la police interpréterait son départ comme une fuite. Ni deviner que des actes a priori innocents leur paraîtraient suspects. Ma théorie s'écroulait.

La police, par ailleurs, me donnait l'impression de s'être divisée, lors des investigations. Bryce avait mené l'enquête le premier, mais Webb, le grand brun que j'avais vu en compagnie des témoins au procès, était passé derrière lui, disant qu'il ne fallait pas tenir compte des instructions de son prédécesseur. Ce faisant, Webb avait négligé de rapporter des preuves dont la défense se serait peut-être et même certainement servie. Webb avait en outre recommandé à Arbuthnot comme à Crombie d'être aussi discrets que possible sur le fait que Lambert n'avait dissimulé ni son identité ni sa destination. Je pris encore deux notes dans mon carnet : me renseigner sur ces deux officiers de police et éclaircir les raisons de ce curieux chevauchement d'investigations. Les agissements de la police devaient être examinés à la loupe, comme ceux de Lambert. Il était vain de prétendre mener l'enquête, si nous ne prenions pas la peine de vérifier leurs méthodes.

J'avais presque oublié la puanteur de la Vieille Enfumée, qui revint m'assaillir les narines à la sortie de la gare de Waverley. Nous fîmes à pied le court trajet jusque chez moi, où Bell me laissa, ayant des cours à l'université. Bridget, la bonne, me remit un billet de ma mère : elle était passée et ne serait pas de retour avant la fin de la journée. Elle était probablement venue rendre visite à mon père, qui avait été admis en maison de repos au début du trimestre. Après m'être lavé et changé, je retournai à l'université, où je passai le reste de la journée à inventer des excuses pour justifier mon absence et à préparer des lamelles de microscope pour mon exposé de pathologie du lendemain. J'essayais de me concentrer sur mes échantillons de tissus et sérums, mais mon esprit ne cessait de vagabonder, tout au souvenir de mes études non médicales sous la férule de mon brillant ami.

Je songeais au rôle de la justice dans notre société, me remémorant les propos que le Dr Johnson avait tenus sur nos institutions judiciaires quand il avait visité la ville :

L'avocat ne doit pas mentir ; il ne doit pas produire de faux documents ; sans usurper le rôle du jury et du juge, il doit savoir apprécier la valeur d'un témoignage... L'avocat doit défendre son client comme ce dernier le ferait s'il pouvait assumer sa propre défense... Si les avocats n'acceptaient de plaider que des causes justes, on priverait certains accusés du procès équitable auquel tout homme a droit, alors qu'en examinant les choses d'un strict point de vue judiciaire, on s'aperçoit que c'est un droit parfaitement justifié...

Mais l'arrivée inopinée de mon ami Budd dans le laboratoire mit fin à mes réflexions. George Budd ne savait pas frapper avant d'entrer ni marcher sur la pointe des pieds : il surgissait devant vous comme Macbeth au milieu de l'assemblée des sorcières.

– Doyle, vieille canaille ! Où étais-tu passé ? Je t'ai cherché partout !

Il m'assena une tape dans le dos et s'assit sur le coin de ma table de travail, sans égard aucun pour mes lamelles et mes notes. George Turnavine Budd était le fils d'un éminent médecin de Bristol, qui s'était fait remarquer pour son œuvre pionnière dans la prévention de la typhoïde et de la scarlatine. George n'avait quant à lui rien de remarquable, hormis sa carrure impressionnante, son énergie inépuisable et son enthousiasme débordant. Eût-il été astronome, il aurait été incapable de s'intéresser à une autre planète que celle qu'il avait découverte ; compositeur, il aurait estimé que la plus grande œuvre de tous les temps était celle qu'il venait d'écrire. Un soir, il était venu frapper à ma porte et m'avait tiré du lit pour me demander de l'aider à réviser un examen que nous devions passer le lendemain. Il avait tenu à revoir la moitié des cours que j'avais déjà apprise, plutôt que la partie que j'avais prévu de relire dans la matinée après une bonne nuit de sommeil. Il ne s'était même pas excusé de m'avoir dérangé et n'avait jamais daigné me remercier non plus, pour autant que je m'en souvienne. Budd était un solide gaillard qui aurait pu faire une carrière internationale de rugbyman s'il n'avait pas la fâcheuse manie de ne jamais respecter les règles du jeu. D'ailleurs, il était incapable de comprendre aucune des règles qui régissaient la société. George Budd allait son bonhomme de chemin sans se rendre compte qu'il se créait tout seul la plupart de ses problèmes.

– J'étais à Liverpool, si ça t'intéresse.

– Liverpool ! Quel besoin d'aller te dévergonder là-bas, vieux filou, alors qu'il y a tout ce qu'il faut ici ? Je promets d'arrêter de boire et de me comporter en respectable primate écossais si tu me prouves que Liverpool est un lieu de débauche hautement supérieur à notre bonne vieille cité d'Édimbourg. Allez, raconte !

– J'avais simplement quelques affaires à régler à Liverpool, lui expliquai-je, tout en regrettant de lui répondre encore de cette manière froide et polie qui caractérisait l'ensemble de mes rapports avec Budd.

La vérité, c'est que je ne lui faisais pas confiance. Il était trop imprévisible. Je restais distant et réservé avec lui, ne voulant point me laisser emporter par le tourbillon dévastateur de son impétuosité. Une fois lancé, on ne pouvait plus l'arrêter. Plus maladroit que méchant, il ne se rendait pas compte de sa cruauté. Dans le fond, c'était vraiment un brave type. Mais, tel Cassius avec César, il était dangereux.

– Qu'est-ce qui t'amène au labo, Budd ? Tu te décides enfin à travailler un peu ?

Voyez le genre de puritain que je devenais en sa présence ! C'était plus fort que moi.

– Penses-tu, mon pote ! Non, je voulais te présenter ma fiancée.

– Ta *quoi* ?

– Oui, malgré mes beaux discours, j'ai décidé de renoncer à la débauche et de revenir dans le droit chemin pour embrasser l'état conjugal.

– Je n'arrive pas à y croire !

– Comme saint Thomas, tu n'y croiras que si tu la vois. Elle s'appelle Mary Maberley. C'est un nom parfait, une fille parfaite. Tout est parfait, non ? Elle est encore mineure et pupille de la nation. Mais quand elle aura l'âge, elle touchera plus de six cents livres de rente !

– Mais enfin, Budd ! Épouser une pupille de la nation encore mineure ? Il y a des lois dans ce pays, tu as tendance à l'oublier.

– C'est comme ça, j'ai la mémoire sélective, mon pote. Nous avons un paquet de lois iniques héritées de l'Acte d'Union. Il faudrait toutes les réformer. À bas les lois qui entravent l'amour ! Vois-tu, Doyle, on a décidé de s'enfuir, elle et moi. On part par le train de King's Cross ce soir. Voilà pourquoi je te cherchais.

– Je commence à comprendre.

– Si tu pouvais me donner un petit coup de pouce, ça m'arrangerait, tu vois. Je compte ouvrir un cabinet à Plymouth, mon oncle habite là-bas. Et j'aurai une plaque de cuivre vissée à ma porte dans un beau quartier avant même que les lords de la Chancellerie se soient aperçus de la disparition de leur pupille ! Mais il faudrait que tu nous aides. Tu sais que je suis en train de mettre au point un remède pour soigner l'asthme. Des centaines de patients s'arracheront mon élixir, dès que j'aurai trouvé la bonne formule. J'aurai vite fait de te rembourser. Ou, mieux, une fois ton diplôme en poche, tu n'auras qu'à venir t'installer à Plymouth et poser ta plaque à côté de la mienne. Et alors, à nous la belle vie ! Qu'en dis-tu ? Tu sais, j'en ferais autant pour toi.

Je lui expliquai que je ne pouvais pas l'aider, lui exposant toutes les bonnes raisons que j'avais déjà réunies mentalement pendant qu'il parlait : l'entretien et l'éducation de mes petits frères et sœurs, mes cours du prochain trimestre à payer et mes propres dettes, qui étaient loin d'être minimes. Le visage de Budd se rembrunit. Ce n'était pas la première fois que je le voyais prendre cette expression sinistre. Il n'était pas question qu'un troupeau de vaches coupe la route à son cheval lancé au galop. Sans lui laisser le temps de prononcer les propos désagréables qu'il était en train de ruminer dans sa tête – accusations, menaces ou reproches, il était capable de tout –, je plongeai la main dans ma poche et en sortis mon porte-monnaie. Il contenait exactement la somme que je me souvenais y avoir laissée. Inutile de croire aux miracles. Je donnai à Budd ce que je pouvais lui donner, mais je n'eus pas le loisir d'ajouter un petit sermon lui recommandant d'être économe : il avait déjà franchi la porte, et peut-être disparu à jamais de ma vie. Non, ce n'était pas assez cher payé pour être débarrassé de lui. George Budd reviendrait à la charge. J'allai à la porte et le vis s'éloigner rapidement dans le couloir, une mince jeune femme accrochée à son bras. Il avait oublié de me la présenter. C'était Budd tout craché.

Un billet m'attendait chez moi. Bridget me dit que le Dr Bell me l'avait fait parvenir vers 4 heures. Je l'ouvris avec empressement et lus :

Cher Mr Doyle,

Pouvez-vous venir chez moi après dîner ? Quelqu'un doit me rendre visite vers 8 heures et je crois bien qu'il vous plaira tout autant que moi de faire sa connaissance. Apportez votre carnet de notes et préparez-vous à en noircir de nouvelles pages. Je puis vous prédire que cette rencontre sera très intéressante. Si mon flair ne me trompe pas, le lieutenant détective Bryce aura bien des choses à nous raconter.

Sincèrement vôtre,

Bell.

J'allai regarder l'heure à l'horloge du palier. Cette maudite mécanique était d'une lenteur exaspérante !

9

C'était la troisième fois que je venais dans l'antre de Joe Bell. Tout était comme avant, exception faite d'un plateau pour le café posé sur une table pliante. Je remarquai aussi que le buffet était réapprovisionné en whisky. Il flottait déjà un âcre parfum de tabac turc dans la pièce, provenant d'une pipe que Bell déposa sur le bras de son fauteuil pour me serrer la main.

– Bonsoir, mon cher. Savez-vous la nouvelle ? La moitié de l'Écosse est aux trousses de votre ami, le jeune Budd. Cet imbécile a enlevé une pupille de la nation. On l'enverra à Peterhead casser des cailloux, ça ne fait pas un pli !

– Il est passé me voir cet après-midi.

– Pour vous emprunter de l'argent, à vous aussi, pas vrai ? Bah ! C'est sans importance, à présent. Ils ont filé vers le sud et sont déjà loin.

– Ils se feront cueillir à leur arrivée à King's

Cross, dis-je. Et on les enverra croupir quelques jours en prison, histoire de leur faire peur.

– Je leur ai conseillé de descendre à la dernière gare avant Londres. Ça devrait leur laisser une chance. C'est une histoire parfaite pour un opéra comique de Bab.

– Budd est un brave type, dans le fond. Seulement, il…

À cet instant, on sonna à la porte et Mrs Murchie nous apporta peu après une carte sur un plateau. Bell y jeta un coup d'œil puis, nouant ses mains derrière la nuque, demanda à sa logeuse de bien vouloir faire monter le lieutenant détective.

L'homme qui entra d'un pas décidé dans le salon de Bell avait fière allure. Son maintien militaire, sa taille imposante, le regard assuré de ses yeux bleu clair, tout en lui augurait un personnage à la hauteur de nos attentes. Bryce s'arrêta devant Bell en claquant presque des talons, tel un officier au rapport devant son supérieur. Il ne nous aurait pas fait moindre impression s'il s'était mis au garde-à-vous en criant : « À vos ordres ! »

– Je suis enchanté que vous ayez pu venir, Mr Bryce. Permettez que je vous présente mon collègue, Mr Conan Doyle. Il est en troisième année à la faculté de médecine et a la charge des consultations externes de mon dispensaire. S'il est ici ce soir, ce n'est pas par hasard. Je souhaite qu'il assiste à notre entretien.

Bryce me serra la main, le moins brutalement

possible, et alla s'asseoir sur la chaise que Bell lui désignait. Ce dernier se leva pour prendre le carafon de whisky posé sur le buffet et proposa un verre à son invité, qui refusa poliment. Un point pour Bryce, pensai-je.

Le policier se tenait très droit sur sa chaise, la tête tournée vers le buffet. De splendides favoris encadraient son visage large et franc. Son regard n'était pas dénué d'humour, mais on sentait qu'il veillait à ne point laisser ses yeux ou ses manières trahir le fond de son caractère.

– Messieurs, déclara-t-il, le message du Dr Bell a piqué ma curiosité au vif. Je suis donc venu et j'espère bien que vous avez des révélations intéressantes à me faire.

– Mais oui, lieutenant. Nous espérons d'ailleurs la même chose de vous. Alors, si vous le permettez, je vais aller droit au but : pourquoi n'a-t-on pas relâché le jeune Lambert quand on s'est aperçu que la piste du prêteur sur gages le disculpait ?

– Ainsi, vous êtes vraiment allé fourrer votre nez dans cette affaire ! Vous feriez mieux de vous occuper de vos oignons, docteur, si vous me passez l'expression.

– Tiens ! J'ai comme l'impression d'avoir déjà entendu cette chanson. C'est toujours la même rengaine avec les fonctionnaires : « Comment donner l'impression d'être courtois et serviables alors qu'en réalité nous ne sommes ni l'un ni l'autre ? » Soit, admettons « qu'être policier est un bien triste sort », comme dirait Mr William S. Gilbert, mais restons-en là. Vous êtes pris entre Charybde et Scylla, cher monsieur, je veux désigner par là votre hiérarchie et votre conscience. Sachez que mon ami et moi n'avons aucun intérêt dans cette affaire, ni aucun mandat officiel. Le frère du jeune Lambert nous a simplement demandé de faire notre possible pour l'aider. Et nous savons que l'accusation fondée sur cette histoire de ticket de gage ne tient pas debout.

– Le suspect a quitté la ville à l'improviste pour se sauver en Amérique, voilà ce qui nous a alertés. Nous n'allions tout de même pas fermer les yeux sur sa fuite.

– Non, évidemment. Mais les termes que vous employez, comme « à l'improviste » et « fuite », ne me semblent guère appropriés : à Liverpool, Lambert a donné sa véritable identité au réceptionniste du North-Western Hotel, en indiquant de faire suivre son courrier à la compagnie maritime Cunard, piste qu'il vous a été facile de suivre. Et, là encore, il n'a pas cherché à embarquer sous un faux nom.

– Il a liquidé ses affaires ici, en ville, avec une hâte suspecte. Cela méritait une enquête approfondie.

– En ce cas, Bryce, vous avez vite découvert que Lambert avait réservé son billet sur ce bateau depuis longtemps déjà. Idem pour la broche : il l'avait gagée bien avant le jour du crime.

– Je vois que vous n'avez pas chômé, Dr Bell.

Bell agita la main, indifférent au compliment.

– Monsieur, j'attends des explications ! lança-t-il.

Bell, avec son nez crochu et son regard perçant, semblait un oiseau de proie prêt à fondre sur notre visiteur. Bryce respira profondément, prenant le temps de rassembler ses pensées.

– Dr Bell et Mr Doyle, la police d'Édimbourg n'a pas pour habitude de donner des explications quant à ses agissements. Nous avons déjà bien du mal à capturer les malfrats sans qu'il nous faille en plus justifier nos méthodes. Et puis, ce n'est plus moi qui tenais la barre, après l'arrestation de cet individu.

– Lieutenant, vous commencez à me fatiguer. Votre intégrité est admirable, je ne la remets absolument pas en cause. Vous protégez loyalement vos supérieurs qui ont commis des impairs. Mais un homme croupit en prison, en attendant son bourreau. Mr Marwood doit arriver à la gare de Waverley dans deux semaines. Le temps presse et nous ne pouvons plus nous permettre de pinailler pour des questions de hiérarchie. En tant qu'ancien marin, vous devriez le comprendre.

– Et comment savez-vous cela, docteur ?

– Vous m'avez dit : « Ce n'est plus moi qui tenais la barre. » Ce n'est pas le genre de vocabulaire qu'on emploie dans la police. Si cette expression vous est familière, j'en déduis que vous avez dû naviguer. Probablement dans la Royal Navy.

– Mes félicitations. Vous pourriez ouvrir un cabinet de détective privé.

– Ce n'est pas la première fois qu'on me suggère de changer de profession. Vous venez d'avoir un bon aperçu de ma méthode, qui repose sur l'observation et la déduction, la science et l'instinct. Il faut avoir le sens du détail. Me trouvez-vous à la hauteur, ce soir ?

– Oui, j'ai servi dans la Navy un temps, mais je n'y suis pas resté. Ce que je fais aujourd'hui me convient mieux.

– Mais on ne vous laisse pas davantage la liberté de tirer des bords à Édimbourg que dans l'Atlantique Nord ou au large de Spithead. Vous faites figure d'oiseau rare parmi les représentants de l'ordre : vous êtes à la fois intelligent et honnête, plein d'imagination et de bon sens. À mon avis, votre frustration doit être immense. Vous avez sûrement été tenté d'écrire des lettres indignées au *Review*. Ne me dites pas que l'idée d'en référer au lord Advocate ne vous a jamais effleuré.

– Que voulez-vous de moi ?

– J'ai commencé par vous poser une question, mais vous n'avez pas daigné me répondre. Ce n'est pas bien grave, j'en ai d'autres. Vous qui êtes inspecteur, pensez-vous que le suspect a réellement tenté d'échapper à la justice ? Y a-t-il un lien entre vos témoins oculaires et le prisonnier ? Vous avez dû recueillir leurs déclarations : la police a-t-elle transmis ces dépositions au lord Advocate ? L'accusation a-t-elle permis à l'avocat de Lambert d'avoir accès à ces informations ? Faute d'en disposer, il lui était impossible d'élaborer une défense satisfaisante. Enfin, qui est donc ce Webb qui s'est permis de venir piétiner vos plates-bandes tout au long de l'enquête ?

Quand Bell prononça ce nom, Bryce se tint encore plus droit sur sa chaise qu'avant, si tant est que la chose fût possible. Il se mit à tirer sur le lobe de son oreille droite.

– L'inspecteur Webb est un collègue. Il a de nombreuses années de service à son actif, ici, dans la police d'Édimbourg ; avant, il faisait partie de celle de Dundee, la ville où il est né.

– Il a demandé au réceptionniste du North-Western Hotel de garder le registre sous clé. Selon moi, il cherche à dissimuler des preuves, notamment le fait que Lambert n'a pas tenté de masquer son identité, ni menti sur son ancienne adresse ou sa destination. Et vous voudriez me faire croire qu'il s'agirait d'une ruse désespérée de la part de ce jeune homme pour brouiller les pistes ? Allons, lieutenant !

– Messieurs, je dois m'en aller. Je vous remercie tous les deux de votre aimable accueil, mais vous vous aventurez dans des eaux dangereuses. Je suis d'ailleurs étonné que vous n'ayez pas encore rencontré un écueil. Mais, méfiez-vous, ce n'est pas parce que tout va bien pour l'instant que cela n'arrivera pas. Il y a des intérêts en jeu dans cette affaire, que vous ne soupçonnez même pas. Si j'étais vous, Dr Bell, je virerais de bord, pour employer une autre expression maritime. Virez de bord et passez au large !

Bryce bondit sur ses pieds, aussitôt imité par mon

ami. Le policier nous salua poliment de la tête l'un après l'autre puis se dirigea vers la porte. Mais Bell ne s'avoua pas vaincu et rappela notre visiteur qui avait déjà la main sur la poignée :

– Bryce ! Allons, revenez ! Vous voulez vraiment que cet homme soit exécuté, c'est ça ? Vous dormirez mieux en sachant que la ville d'Édimbourg aura aidé l'État à faire pendre un innocent et laissé la police dépenser inutilement de l'argent pour plusieurs billets aller-retour sur un transatlantique, alors que le véritable meurtrier court toujours ? Allons, répondez-moi !

Le policier garda le silence. Mais il se figea sur le seuil. Bell fit une autre tentative :

– Lieutenant, revenez vous asseoir. Nous ne devrions pas laisser nos susceptibilités personnelles s'immiscer dans d'aussi graves questions. C'est la vie d'un homme qui est en jeu.

– Inutile, monsieur ! Je vous ai dit tout ce que j'avais à vous dire.

– En ce cas, vous accepterez peut-être de remettre notre discussion à un autre jour.

– Non, je ne reviendrai pas.

– Je respecte votre loyauté, votre zèle, lieutenant, mais…

– Prenez garde, docteur ! fit le policier en se retournant vers nous, mais sans lâcher la poignée de la porte. Je ne suis pas le seul à savoir que vous cherchez à fourrer votre nez dans cette affaire. Bien des gens, au commissariat et ailleurs, sont au courant de votre petite escapade à Liverpool. Si vous envisagiez de séjourner quelque temps à Londres, le moment serait bien choisi de mettre votre projet à exécution. Messieurs, je vous souhaite bien le bonsoir.

Les pas de Bryce résonnèrent dans l'escalier, puis décrurent le long du couloir lambrissé, comme happés par l'obscurité. Le confortable salon de Bell me parut soudain vide et plus vaste qu'avant.

– Eh bien, me risquai-je à dire, c'est un sérieux avertissement ! La menace ne pouvait pas être moins voilée.

– C'est ainsi que vous l'interprétez, mon cher ?

– Oui, c'est très clair.

– Balivernes ! Il nous a mis en garde, mais pas menacés. Bryce est un homme intègre. Il n'allait pas se mettre à nous faire des révélations qui risquaient de compromettre ses supérieurs. Il lui était impossible de nous parler franchement, vous comprenez ? Il est probablement aussi désireux que nous de faire la lumière sur cette affaire, mais il a les mains liées. Tant qu'il ne se sera pas libéré de ses obligations, inutile d'espérer son aide. Quoi qu'il en soit, il nous a quand même appris des choses sans le vouloir, des choses qui pourront nous servir d'ici notre prochaine rencontre avec lui.

– Vous l'avez pourtant entendu dire qu'il n'en était pas question…

– Son refus n'est pas irrévocable. Quand il s'apercevra que sa hiérarchie a non seulement commis des erreurs, mais aussi favorisé intentionnellement ces irrégularités, nous verrons si notre homme ne reniera pas son allégeance. En attendant, mon cher ami, nous avons du pain sur la planche.

– Par quoi commençons-nous ?

– Eh bien…, par ce qui découle logiquement des événements antérieurs.

– C'est-à-dire, docteur ?

– Puis-je vous resservir un autre verre, Conan ?

10

Je ne vis pas mon ami le lendemain. J'avais des cours magistraux à suivre et lui des travaux pratiques à diriger. La matinée suivante, au dispensaire, nous n'eûmes guère le temps de discuter, mais Bell me glissa en aparté que le doyen de la faculté lui avait fait passer un mauvais quart d'heure. Il n'en dit pas plus, mais j'imaginai qu'on l'avait menacé de graves sanctions s'il s'obstinait à vouloir jouer les détectives. Le doyen et les commissions placées sous sa férule pouvaient déplacer des montagnes. Et dans ce genre de situation, l'université était tout entière inféodée à la ville. Les instances dirigeantes de l'université avaient déjà créé des ennuis à des professeurs encore plus réputés que mon ami simplement parce que des rumeurs avaient circulé dans les clubs de notables.

Les menaces du doyen ne réussirent qu'à provoquer la colère de Bell. Il était plus déterminé que jamais à obtenir que justice fût rendue au jeune Lambert.

– Dites-moi, Doyle, qui donc possède le pouvoir de faire trembler ces messieurs de la police comme des écoliers et d'obliger les plus hautes instances universitaires à faire bloc contre moi ? La réponse à cette question sera la clé de toutes les énigmes de cette épineuse affaire.

Après ma journée de travail, que j'avais terminée à la bibliothèque, je partis seul, à pied, par une petite rue située non loin du pont George-IV. Il n'y avait ni trottoir ni bordure le long des murs, juste un caniveau frangé de mousse verte au milieu des pavés. L'ombre s'accentuait dans la venelle au fur et à mesure que la nuit tombait sur les toits de la vieille ville. Il faisait déjà frisquet, comme en plein mois d'octobre, alors qu'il restait plusieurs semaines avant le début de l'automne.

Cela faisait un moment que j'entendais un bruit derrière moi, mais j'étais tellement absorbé par mes pensées que je ne m'étais pas rendu compte qu'il s'agissait d'une voiture. Je n'avais pas remarqué non plus que le fracas des roues allait croissant et se rapprochait de moi.

– Ne reste pas là, malheureux !

Un attelage à quatre roues fonçait droit sur moi. J'entendis le souffle haletant des chevaux, le grincement des essieux et n'eus que le temps de me jeter sous un porche au passage de la voiture, dont les roues cerclées de fer rasèrent le mur dans une gerbe d'étincelles. L'attelage était arrivé au bout de la rue et avait déjà tourné dans Cowgate quand je me relevai tant bien que mal, comprenant à peine ce qui venait de m'arriver.

– Assassins ! lança une voix stridente. On n'a pas idée de rouler à ce train d'enfer ! T'es encore vivant, dis ?

Je brossai mes vêtements du plat de la main, reprenant péniblement mon souffle. Un petit homme se penchait par la fenêtre à l'étage au-dessus de moi. Il avait les joues crasseuses, un crâne lisse comme un œuf, mais jamais je ne m'étais senti aussi heureux de voir un visage humain. Je lui criai merci et agitai mon chapeau, puis jetai des regards autour de moi. Je remarquai les éraflures blanches laissées par les roues à la base du mur.

– Faut surveiller tes arrières, mon petit gars ! Tu ferais bien de pas traîner dehors comme un vagabond ! Ton propriétaire te laissera rester, si tu payes ton loyer. Vaut mieux avoir un toit au-dessus de la tête si tu veux pas finir la caboche écrabouillée au milieu de la rue ! Y'a un an, un gosse s'est fait renverser, juste à l'endroit où tu es. Ils roulent pire que des démons dans c'te rue !

Je hochai machinalement la tête à chacune de ses remarques, mais l'homme continuait à pérorer, intarissable. Je finis par reprendre mes esprits, ramassai mon classeur et poursuivis mon chemin vers Cowgate, en me tenant sur mes gardes, cette fois.

Après les remontrances reçues par Bell à l'université, il était tentant d'imputer cet incident aux ennemis invisibles que lui et moi nous étions faits. Jamais encore, on n'avait essayé de m'écraser. Jamais, à ma connaissance, le Dr Bell n'avait été menacé de sanctions disciplinaires. Ma mort, au-delà du tort porté à ma propre personne, aurait eu pour lui valeur d'avertissement, histoire qu'il comprît bien que nos adversaires ne plaisantaient pas. Je poussai la porte du Rutherford's d'une main tremblante. J'avais grand besoin de retrouver un environnement et des visages familiers. Je commandai un whisky, ce qui m'arrivait rarement, vidai mon verre d'un trait et en redemandai un autre.

– Tu l'as échappé belle, dirait-on ! Il te reste encore de quoi boire des coups !

C'était Stevenson, bien sûr, baron de bohème tout de noir vêtu. Son propre verre à la main, il quitta la table où il était pour venir s'installer au bar. Apparemment, il avait quelques verres d'avance sur moi, comme d'habitude. La lueur de lampe faisait briller son front moite. J'étais stupéfait qu'il soit déjà au courant de mon accident, puis je compris ce dont il parlait.

– J'ai dû mettre la main à la poche pour me débarrasser de ce George Budd, poursuivit-il. Quelques livres seulement, je n'allais pas lui offrir toute ma fortune, tu penses bien ! Mais on dirait qu'il t'a laissé de quoi survivre à toi aussi.

Il parlait en avalant la moitié des mots, d'une voix rendue pâteuse par l'alcool, mais il remarqua mon pantalon couvert de boue et mes souliers tout éraflés. Je lui racontai alors ce qui venait de m'arriver près de Cowgate, sans toutefois lui préciser que cet accident ne me paraissait pas vraiment en être un.

– Conan, mais comment feras-tu quand je ne serai plus là pour veiller sur toi ?

– Allons, Louis ! Tu n'aurais rien pu faire, même si tu avais été là ! Alors, à quand le grand départ ?

– J'ai réservé ma place sur le *Devonia*, à Greenock. Je m'en vais lundi. *Ave atque vale.* Mais n'oublie jamais une chose, mon ami, Londres n'est qu'à 396 miles au sud. Tu devrais y penser. Rappelle-toi ce que le Dr Johnson disait de la grand-route de Londres : il n'est pas de spectacle plus réjouissant pour un Écossais !

– Et Fanny, tu dois la retrouver à New York ou à Boston ?

– Ni l'un ni l'autre. Il va me falloir traverser tout le continent avant de pouvoir contempler son doux visage. Mais, comme ça, je vais découvrir l'Amérique !

– Il va encore te falloir un âne [1] pour traverser les montagnes jusqu'à San Francisco.

– Oh, Doyle ! Quelle idée ! Une fois m'a suffi, mon ami !

Je passai le restant de la soirée à lui poser des

1. Allusion au voyage que venait de faire Robert Louis Stevenson en France, qu'il raconterait peu après dans *Voyage avec un âne à travers les Cévennes* (1879). (NdlT)

questions sur les institutions de la ville. Je voulais comprendre le fonctionnement de la cité, savoir qui étaient les clans dirigeants, les gens les plus puissants. Louis Stevenson était certes la dernière personne capable de me faire un exposé précis et scientifique sur le sujet, mais son intuition, son sens poétique et son imagination conféraient à son propos une valeur que n'auraient pas eue les déclarations du lord-maire d'Édimbourg.

– Enfonce-toi bien ça dans le crâne, mon ami, cette ville est une bauge, un cloaque immonde. Mon Dieu ! Pourquoi a-t-il fallu que nous naissions ici ? C'est sûr, on ne nous a pas demandé notre avis. Mais je te le répète, Conan, cette cité vit dans le prurit de sa propre corruption…

– Voyons, Louis, tu exagères !

– Nous sommes plus instruits que les Anglais, mais plus pauvres qu'eux. Nous n'avons ni le goût ni la tradition des élections. Nous préférons être les vassaux d'un seigneur. Toutes nos cités sont de jolis furoncles pleins de pus, Conan. Les gens du gouvernement et de l'administration sont comme des vampires plantant leurs crocs dans le cou d'une vierge. Ils sont tous pareils, pourris, corrompus jusqu'à la moelle.

– Tu vois tout en noir, mon ami. Alors tu te dis que voyager est le meilleur remède à tous ces maux.

– Ce sera déjà un remède à mes propres maux[1].

---

1. Robert Louis Stevenson, atteint de tuberculose, fit de nombreux voyages, espérant trouver un climat plus sain. (NdlT)

Égoïstement, cette seule perspective suffit à me réjouir. Mais, crois-moi, Conan, nous vivons dans une société qui dévore ses propres enfants. Les gens te débitent des platitudes morales sur la bonté, vont à l'église tous les dimanches, mais ils laissent un petit trou s'agrandir dans les habits de leur respectabilité et ne se soucient guère de repriser l'accroc. Leurs mœurs barbares n'ont rien à envier à celles des Huns, des Vandales et des Turcs. Les grandes familles, qui se croient souvent au-dessus des lois depuis que nous avons vendu notre Parlement aux Anglais, se surveillent les unes les autres d'un œil soupçonneux et passent leur temps à faire étalage de leurs mérites. Mais pour peu que la menace surgisse à l'extérieur de l'enceinte sacrée de Calton Hill, elles uniront leurs forces comme une milice et lutteront au coude à coude pour repousser la vermine qui voudrait les envahir. Oui, c'est bien triste. Prends donc le premier train pour King's Cross et oublie cette forge de mauvais rêves. Ton avenir est à Londres, où l'on ne croit pas aux sorcières ni aux croquemitaines.

Je remisai notre conversation dans un coin de mon esprit afin de restituer intactes les couleurs crues de ce tableau à Bell lors de ma prochaine rencontre avec lui. Pour trouver le responsable des malheurs de Lambert, il nous faudrait nous risquer dans les périlleuses et secrètes allées du pouvoir, surveillées par une oligarchie jalouse de ses privilèges.

11

La Nouvelle Prison, qui avait tant fasciné mon ami Stevenson quand nous l'avions observée depuis le Siège d'Arthur, était moins pittoresque vue de près. Pour ne pas dire franchement sinistre. Les énormes portes, la récurrence du fer et de la pierre, les lampes à gaz grillagées des couloirs, fixées tout en haut des murs, le crissement de mes pas dans la cour centrale lorsque l'on me conduisit du guichet aux cellules, tout cela me causa une forte et durable impression. Dans cette cour pavée, où résonnait l'écho lointain de cliquetis métalliques, l'officier chargé de m'escorter me montra du doigt l'échafaud mobile appuyé contre le mur du fond. Figure familière de cauchemars ou de romans d'épouvante, l'objet me parut peut-être plus grand, et surtout plus effrayant que dans mon imagination, mais il n'en était pas moins fidèle aux représentations sinistres que j'en avais.

– Pas mal, hein ? lança fièrement mon guide, comme s'il avait participé à la construction du gibet. Elle est toute neuve, cette potence de malheur, elle a encore jamais servi. Mais on va lui présenter son premier fiancé avant la fin du mois, ça fait pas un pli.

L'officier était un homme bien proportionné, dont le visage carré et rougeaud, encadré de favoris, ne semblait pas celui d'un fonctionnaire passant sa vie enfermé dans un bureau. Lorsque je lui posai la question, il m'avoua qu'il était un mordu de pêche et qu'il sortait sa canne tous les samedis. Mais il cessa bientôt de parler de sa marotte pour gravir à pas lourds les marches du gibet, éprouvant leur solidité. Il se retourna vers moi pour me délivrer l'information suivante :

– Le type de Horncastle a déjà réservé son billet et préparé tout son attirail de bourreau. Peut-être bien qu'il aura pris une bonne longueur de corde aussi. À ce qu'il paraît, il traîne pas en besogne, ce Marwood. C'est pas comme le vieux Calcraft. Lui, c'était vraiment un étrangleur qui aimait ça, si vous voyez ce que je veux dire. Il prenait tout son temps, la journée s'il fallait, pour pendre un bonhomme. Le spectacle était garanti avec lui. Sûr que ça valait le déplacement ! Maintenant, on ne fait plus d'exécutions publiques, y'a que les gardiens qui peuvent en profiter. Et aussi les amis du commandant Ross, le directeur de la prison. Je me demande bien pourquoi ils ont mis des roues à ce gibet, puisqu'on l'amène plus dehors comme avant. C'est ça le progrès, qu'ils disent, les Anglais. La populace est friande de ce genre de spectacle, pourtant. Priver les gens des pendaisons, je suis pas sûr que ce soit une bonne chose. Ça sert d'exemple, ils le savent bien. Moi aussi, ça me plaisait d'y être. Ça se bousculait pour les dernières exécutions publiques, on venait de partout. Si la foule vous empêchait de bien voir, vous pouviez même acheter votre place à une fenêtre, mais fallait y mettre le prix.

Je tentais, en vain, de comprendre pourquoi cet homme tenait tant à me montrer la potence, alors que le surveillant en chef lui avait demandé de me conduire auprès du geôlier affecté aux cellules des condamnés. Cherchait-il à me provoquer ? Espérait-il me faire sortir de mes gonds ? Je m'interrogeais sur ses intentions tout en le suivant le long d'une rangée de cellules semblables à des stalles de pierre et de fer, où des mains sales s'agrippaient aux barreaux. Malgré sa modernité tant vantée, l'établissement pénitentiaire exhalait la puanteur d'un hôpital de campagne en plein mois d'août.

C'était le Dr Bell qui avait voulu cette visite. L'heure était venue de rencontrer notre client en tête à tête. Mon professeur m'avait encore une fois demandé d'être ses yeux et ses oreilles. Comme au tribunal, il voulait que je lui rapporte mot pour mot les propos de son client. Il n'était pas facile d'obtenir un droit de visite, mais Graeme Lambert avait envoyé un billet à l'avocat d'Alan, qui avait tout arrangé, ce qui me valait à présent de découvrir la sinistre potence et de rencontrer son « fiancé ».

La cellule du condamné, pour ce que je pus en voir, était assez semblable à celles que j'avais aperçues en chemin. Aucun des prisonniers incarcérés dans les centaines d'autres geôles n'aurait toutefois voulu échanger sa place avec mon client, bien qu'il eût l'heur de disposer d'une table de bois et de quelques mètres carrés supplémentaires. En entrant dans la cellule, je constatai que ces avantages laissaient manifestement son occupant indifférent.

Alan Lambert, dont la crinière flamboyante n'avait rien perdu de son éclat malgré ses tristes conditions de détention, regardait fixement le sol de pierre, ou plus exactement le rayon de soleil projeté par l'étroite ouverture percée tout en haut du mur de sa minuscule cellule, dessinant par terre une ligne lumineuse qui remontait jusque sur la paroi d'en face. Il leva les yeux en entendant le geôlier ouvrir la porte.

– Dr Bell ? fit le prisonnier.

– Non, mais c'est tout comme : je suis Mr Doyle, son assistant, lui annonçai-je, navré de causer une nouvelle déception au malheureux. Il m'a chargé de recueillir auprès de vous les noms et fonctions de tous les personnages officiels à qui vous avez parlé depuis votre arrestation, lui expliquai-je en souriant. Surtout ne me cachez rien, la moindre omission pourrait vous coûter la vie.

– Merci bien, je suis au courant, Mr Doyle ! s'exclama-t-il avec une agressivité qui me prit au dépourvu. Ces barreaux me rappellent constamment le peu de temps qu'il me reste à vivre et la vanité des espérances humaines !

Après cet éclat, il parut recouvrer son calme et m'offrit poliment la seule chaise disponible, restant quant à lui assis sur la planche fixée au mur et retenue par des chaînes qui lui servait de lit.

– Veuillez excuser mon manque de courtoisie, Mr Doyle. Mon frère m'a raconté les démarches que vous avez entreprises pour m'aider, et je ne pourrai jamais vous remercier assez. Je viens d'avoir un entretien avec mon avocat. Il m'a appris que ma demande de pourvoi a été transmise au lord Advocate, qui se chargera de la communiquer à son tour au ministère de l'Intérieur. Vous savez, c'est le seul recours qui me reste, car il n'y a pas possibilité de faire appel dans le système judiciaire écossais.

– Oui, je suis au courant. C'est la seule solution. La procédure est souvent lente et peu efficace, mais quand il s'agit d'affaires criminelles, le ministre de l'Intérieur veille néanmoins à examiner les requêtes déposées. Et puis, le Premier ministre Disraeli n'a pas la réputation d'être un fanatique de la potence, si vous me passez l'expression.

– Ni d'être un grain de sable dans les rouages bien huilés des institutions. Remplacer une horloge dont les aiguilles tournent encore, ce n'est pas son genre. Vous voyez, je suis obsédé par la fuite du temps. Je le sens s'écouler, goutte à goutte, comme si je me vidais de mon sang.

– Allons, il ne faut pas vous laisser abattre ! Le Dr Bell fait tout son possible pour faire éclater la vérité et attirer l'attention des autorités compétentes sur cette affaire.

– Vous avez raison. Je dois essayer de ne pas perdre courage. Mais les autorités compétentes ont déjà démontré qu'elles ne tenaient guère à réviser leurs conclusions.

– Nous ferons en sorte de les y obliger. Rappelez-vous les paroles du barde d'Avon : « Par trois fois, il dut fourbir ses armes, avant d'obtenir gain de cause… [1] »

Je lui redemandai de me dire quels étaient les officiers et fonctionnaires à qui il avait eu affaire depuis son arrestation à New York. J'inscrivis les noms, les circonstances dans lesquelles il les avait rencontrés ainsi que tous les détails dont il se souvenait dans mon carnet de notes. Il me cita effectivement le lieutenant détective Bryce, mais, curieusement, ils ne s'étaient pas souvent vus. Il me parla également de certains témoins qui étaient venus déposer, mais qu'on n'avait pas fait comparaître au procès. J'en pris pareillement bonne note.

– Nous aimerions aussi savoir si des personnes étaient au courant de votre projet d'émigrer en Amérique.

– Oui, bien sûr. Ces gens vous diront que je leur

1. Shakespeare, *Henry IV*, deuxième partie, acte III, scène 2. (NdlT)

en avais parlé il y a longtemps déjà, bien avant le procès !

– Pourquoi ne les a-t-on pas appelés à témoigner ?

– C'est l'une des nombreuses questions qui revient me tenailler la nuit, Mr Doyle. Je pense que mon avocat n'est même pas au courant de leur existence. C'est ma faute. Vous comprenez, cette accusation était tellement incroyable, alors je me suis dit que la cour me disculperait rapidement, faute de preuves. Je savais que les charges retenues contre moi étaient fausses et j'ai cru que tout le monde verrait les choses comme moi. Comment pouvais-je deviner que les gens raconteraient des mensonges pour se partager la récompense promise par la police ?

– Vous pensez qu'ils l'ont fait pour cette raison ? Il n'y avait pas beaucoup à partager, pourtant. Deux cents livres seulement et les témoins étaient nombreux. Mais je vous donnerai plus de détails lors de notre prochaine rencontre, si vous voulez.

– Ils ont déjà préparé la corde, Mr Doyle ! Vous avez intérêt à vous dépêcher.

12

En longeant les cellules pour retourner dans la cour, je ne pus m'empêcher de songer aux soldats romains qui avaient tiré au sort les vêtements du Christ et se les étaient répartis entre eux. Cette association d'idées était pour le moins pathétique – et vraiment puérile, à mon âge, surtout pour quelqu'un qui faisait par ailleurs étalage de son scepticisme religieux. Comme Bell n'aurait pas manqué de le dire s'il avait pu connaître mes pensées, ce n'était vraiment pas le moment de perdre mon temps avec ces bêtises. Je ne devais pas m'encombrer l'esprit avec des comparaisons romantiques ni m'abandonner à une sensiblerie futile.

Dans la cour, quelqu'un se tenait dans la pénombre du porche menant au bureau du directeur de la prison. Indistincte tout d'abord, la silhouette fit quelques pas et sortit de l'ombre, pour prendre l'apparence familière du commissaire adjoint. Il était emmitouflé dans un gros pardessus vert sombre, malgré le soleil. Quelques rayons avaient réussi à percer, dispensant leur chaleur sur le mur décrépi et lézardé de fissures noires. Je décidai de l'interpeller hardiment, histoire de lui montrer que je l'avais reconnu :

– Mr M'Sween, si j'ai bonne mémoire ? Je vous souhaite bien le bonjour.

Il me toisa sans daigner me rendre la politesse. Je me sentis tout à coup bien embarrassé. Il s'avança vers moi en nouant la ceinture de son grand manteau.

– À l'avenir, Mr Doyle, vous seriez bien avisé de vous abstenir de toute visite à Alan Lambert. Vous n'avez rien à faire ici, jeune homme. Vous et votre ami risquez de donner de faux espoirs au prisonnier. Ne vous l'a-t-on pas déjà expliqué ?

– Faites-vous allusion aux sanctions dont l'université a menacé le Dr Bell et à ces brutes en voiture qui conduisent dangereusement ? Vous avez le bras long, Mr M'Sween. Mais êtes-vous bien sûr d'être dans votre bon droit quand vous abusez de votre pouvoir pour vous en prendre à d'honnêtes gens ?

– Le jour où je ferai vraiment usage de mon pouvoir, Mr Doyle, vous n'aurez même pas le temps de comprendre ce qui vous arrive. En attendant, je vous recommande, en toute amitié, d'éviter désormais d'assister ou d'encourager le Dr Bell dans ses tentatives d'obstruction. Elles lui seront fatales un jour. Retenez bien mes paroles.

M'Sween ne me laissa pas le temps de répondre,

ni même de former un début de réponse dans ma tête. Il me planta là sans plus de façons. L'instant d'après, il avait passé la porte de la prison et disparu dans la rue.

Je traversai à mon tour la cour pavée, la tête résonnant encore des mots du commissaire adjoint, quand une autre voix s'éleva soudain, prononçant mon nom. Ou plutôt criant mon nom. Une grande femme rousse venait d'entrer dans la cour, avançant à ma rencontre. Toutes mes appréhensions fondirent sur-le-champ. Sa ressemblance avec le condamné était frappante.

– Miss Lambert ! m'exclamai-je. Je viens à l'instant de quitter votre frère.

Elle rougit légèrement, un peu gênée que je l'eusse reconnue sans les présentations d'usage, mais reprit aussitôt contenance. Elle portait une jupe et un gilet de tweed sur un corsage sombre au col fermé par un camée, seule coquetterie de sa mise. Mais quand elle fut plus près, je m'aperçus que sa beauté n'avait besoin d'aucun artifice.

– Je vais moi aussi lui rendre visite, monsieur, comme vous voyez. Comment va-t-il ?

– Aussi bien que possible, répondis-je avec une politesse toute médicale. Il s'efforce de ne pas perdre espoir.

– C'est justement ce dont je voulais vous parler, Mr Doyle.

Elle s'arrêta à quelques pas de moi et me sourit

timidement, me faisant comprendre qu'il n'était pas dans ses habitudes d'adresser ainsi la parole à un jeune homme comme moi, qu'elle ne l'aurait pas fait sans ces circonstances exceptionnelles, et peut-être aussi pour conjurer la tristesse de ce lieu maudit. Me rappelant l'objet situé à l'arrière-plan qu'elle ne manquerait pas de remarquer tout en me parlant, je me déplaçai d'un pas pour masquer à sa vue le gibet qui trônait au fond de la cour.

– Vous m'intriguez, dis-je. Mais poursuivez, je vous en prie.

– Graeme nous a raconté tout ce que vous avez fait, vous et le Dr Bell, pour aider Alan. Nous vous en sommes profondément reconnaissants. C'est une dette dont nous ne pourrons jamais nous acquitter.

J'agitai la main, signifiant par là, sans avoir besoin de consulter mon ami, que l'idée d'un dédommagement quelconque ne nous avait pas même effleuré l'esprit.

– Après avoir consulté Mr Veitch, l'avocat de mon frère, enchaîna-t-elle, ma famille a émis le vœu que vous cessiez vos démarches en faveur d'Alan.

Elle m'annonça cela si tranquillement que je crus d'abord avoir mal compris. Je lui demandai de bien vouloir me répéter ce qu'elle venait de dire, mais sa réponse, identique, me laissa bien déconcerté.

– Chère miss Lambert, puis-je vous demander pourquoi votre famille souhaite que nous arrêtions tout ? Est-ce une idée de l'avocat ?

– J'aurais préféré que vous ne me posiez pas de questions, mais je savais que vous le feriez quand même. Nous avons nos raisons, répondit-elle.

Elle avait porté les mains à ses oreilles, pour bien me montrer qu'elle ne tenait vraiment pas à entendre mes questions. Mais je n'avais aucune envie de fâcher la jeune dame. J'essayai de me souvenir si Graeme nous avait dit le prénom de sa sœur. Puis je me rappelai, je ne sais trop comment, peut-être l'avais-je lu dans les journaux, qu'elle s'appelait Louise.

– Mr Veitch a écrit au lord Advocate, poursuivit-elle, afin de déposer une demande de pourvoi auprès du ministre de l'Intérieur, à Westminster.

– Je suis au courant, miss Lambert. Mais en quoi nos démarches compromettent-elles celles que vous entreprenez de votre côté pour sauver Alan ?

– Monsieur, on nous a dit que les investigations d'amateurs bien intentionnés ne feraient qu'ajouter à la confusion de ce dossier et seraient de nature à créer des factions. On finirait par faire du destin de mon pauvre frère une affaire politique et l'on se disputerait sa vie comme un ballon dans une bagarre d'écoliers. Un vrai match de football ! Mieux vaut laisser le champ libre à Mr Veitch et ses amis, des gens influents à ce qu'il paraît, afin qu'ils puissent marquer le but sans être gênés.

Elle discourait avec élégance et aplomb. J'étais séduit par sa façon de parler en dépit de la direction que prenait son propos.

– Si votre famille pense que les tentatives du Dr Bell pour sauver Alan de la mort risquent de gêner Mr Veitch, j'en suis vraiment navré. Mais j'en ferai part au Dr Bell. D'ailleurs, cela lui a déjà valu quelques ennuis…

– Et voilà ! Je vous ai fâché. C'est bien la dernière chose que je voulais.

– Votre frère, lui, a vraiment des raisons d'être fâché, miss Lambert. Ses ennuis sont plus graves que ceux du Dr Bell ou les miens, alors ne vous en faites donc pas pour nous. Au bout du compte, Alan sera le seul à subir les conséquences de vos actes : vous pouvez soit vous battre pour lui, soit ne rien faire du tout.

– Je suis désolée, Mr Doyle, je me suis mal exprimée. En réalité, la décision de mon père est irrévocable. Il nous a interdit de parler de cette histoire en dehors du cercle familial. Il ne veut plus revenir là-dessus.

– Même avant son arrestation, il désapprouvait Alan. À présent, il préfère le laisser mourir en faisant le moins de vagues possible.

– Parce que vous croyez que c'est facile pour lui ? Pour nous tous ?

Une veine bleue battait avec colère à sa tempe.

– Alan est le seul qui risque de monter sur cette potence que vous essayez de toutes vos forces de ne pas regarder, miss Lambert !

Son visage se colora. La main pressée sur le cœur, elle s'obligea à poser les yeux sur la machine de mort tapie dans l'ombre. Voyant qu'elle se mettait à trembler, je la pris par le bras, mais poursuivis néanmoins ma harangue :

– Quand tout sera terminé, aurez-vous la conscience tranquille ? Ne vous demanderez-vous pas : « Ai-je vraiment fait tout mon possible pour le sauver ? » Qu'est-ce qui vous pèsera le plus ? D'être la sœur d'un pendu ayant entaché la réputation de la famille, ou de ne pas avoir fait ce petit pas de plus qui aurait pu le sauver ?

– Accablez-nous tous si ça vous chante. Vous n'avez pas la moindre idée de l'importance que représente le respect des convenances aux yeux de mon père.

– Ah ! Ah ! Pour lui, Alan est de toute manière un gibier de potence !

– Non ! Pas du tout ! Jamais, il n'a pensé ça.

Elle se couvrit de nouveau les oreilles des mains.

– Si je me méprends sur le compte de monsieur votre père, j'en suis sincèrement désolé et je sollicite votre indulgence. Mais, chère mademoiselle, l'heure n'est plus aux politesses. De toute évidence, votre père ne tient pas à voir jaillir un nouveau scandale autour de votre frère de peur que les insultes ne viennent s'ajouter au coup déjà reçu. Et j'en conclus que votre père préfère encore les coups aux injures.

– Mr Doyle, tout cela est tellement difficile. Nous voudrions sauver Alan, bien sûr. Nous voudrions agir au mieux, évidemment. Mais, selon vous, nous ne devrions pas écouter les conseils d'un professionnel ? Vous n'allez tout de même pas insinuer que Mr Veitch fait partie d'un complot visant à supprimer mon frère ?

– Miss Lambert, nous avons passé quelques jours à enquêter et cela nous a suffi pour découvrir de grossières erreurs et graves vices de procédure. Je vous conseille simplement de vous méfier de toutes les personnes impliquées dans ces poursuites judiciaires. L'acharnement dont est victime votre frère est un scandale. Et tous ceux qui ont contribué à ce scandale ne tiennent surtout pas à voir la chose s'étaler à la une des journaux. Il y a des réputations et des carrières en jeu. J'ignore les conséquences qui pourraient s'ensuivre, mais je sais une chose : ils préféreront laisser votre frère mourir plutôt que de laisser la vérité éclater au grand jour. De tout temps, l'État n'a jamais hésité à sacrifier un individu pour protéger un système corrompu !

Je me tus, un peu décontenancé par la violence de mon propre discours. Je ne voulais pas me poser en donneur de leçons ni accuser le système. À dire vrai, je ne savais plus trop ce que j'avais eu l'intention de démontrer.

– Mr Doyle, je ne me doutais pas que… Mais vous n'avez pas l'air de vous sentir bien ?

Elle se rapprocha et me scruta d'un air inquiet, braquant sur moi ses yeux immenses, d'un bleu lumineux.

– Excusez-moi, miss Lambert. Vous avez déjà assez de problèmes comme ça, sans que je vienne y ajouter les miens. Naturellement, vous devez faire ce qui vous semble le mieux pour votre frère.

Je n'étais plus assez maître de moi pour poursuivre la conversation, aussi soulevai-je mon chapeau en souhaitant bonne journée à la jeune femme.

13

Bell, debout devant la fenêtre, regardait en bas dans la rue. Il m'écoutait raconter ma visite au condamné et ma rencontre inopinée avec miss Lambert, m'interrompant parfois de son rire franc et tranquille pour se faire préciser tel ou tel point de mon récit enflammé. De temps en temps, il joignait le bout de ses doigts ou les appuyait sur le carreau de la fenêtre.

– Cette histoire est vraiment singulière, Doyle. Et il sera difficile d'ignorer les bruits de bataille en coulisse. Mais si vous préférez en rester là, je le comprendrai fort bien : votre décision serait celle d'un homme prudent. En outre, cette affaire vous fait perdre un temps précieux que vous devriez consacrer à vos études. Alors, que décidez-vous ?

– Il faudrait que je vous laisse terminer l'enquête ? Tout seul ? Excusez-moi, Dr Bell, mais si je puis me permettre, vous avez de bien meilleures idées, d'habitude ! Non, c'est hors de question. Justice doit être faite. Et nous ne serons pas trop de deux pour parvenir à ce but.

– Le flot de votre éloquence, inspiré par miss Lambert, n'est pas près de se tarir, à ce que je vois. Persisterez-vous dans votre décision, si je vous dis que cette maison est surveillée ?

– Quoi ? Ce n'est pas possible !

Bell, toujours à la fenêtre, fouillait l'obscurité du regard. Je me levai d'un bond pour venir près de lui, mais il me repoussa.

– Une tête à la fenêtre, cela ne veut pas dire grand-chose, sinon que le suspect est bien chez lui. Deux, cela risquerait de les affoler. Quitte à être surveillé, j'aime autant avoir mon espion sous les yeux. On ne sait jamais, il pourrait nous être utile un jour ou l'autre.

Bell retourna à son fauteuil et reprit sa pipe en terre là où il l'avait laissée quelques minutes plus tôt. L'ayant curée, puis rallumée, il me posa quelques questions sur les Lambert et me demanda de lui rappeler divers détails évoqués lors du procès. Je parlai un certain temps, puis m'interrompis subitement, me rappelant qu'un espion nous surveillait de l'autre côté de la rue. Il fallait faire quelque chose ! Mais une fois de plus, Bell m'exhorta au calme.

– Connaître la position de l'ennemi est presque aussi important que d'avoir un plan de bataille. Retenez ce que je vous dis là, Doyle : un jour, sa présence pourrait bien nous rendre service. Et tant qu'il reste là, nous n'avons rien à craindre de lui. Non, je vais trouver matière à m'occuper plus utilement si vous voulez bien me donner le troisième volume de mes registres, celui qui porte la lettre C.

Je trouvai le volume demandé et le lui tendis. Ce registre-là renfermait un amas de feuilles volantes glissées pêle-mêle entre les pages, certaines maintenues par une épingle, mais pas toutes. Bell se mit à le feuilleter d'un air absorbé, indifférent au reste du monde. Je ramassai sa pipe qu'il n'avait même pas vue tomber sur le tapis et la reposai sur la table.

– Ah ! s'exclama-t-il enfin, le doigt posé sur une page dont je ne pouvais rien voir d'où j'étais. Corry ! Montague Corry ! Voilà l'homme qu'il me faut !

– Plaît-il ?

Bell leva le nez de son registre d'un air pensif, comme s'il cherchait dans sa mémoire le visage associé au nom consigné dans le volume.

– Le cas est désespéré, aussi nous faut-il un médecin compétent. Corry est l'homme qui saura me dire où contacter le meilleur des spécialistes, capable de remédier à tous les malheurs de Lambert.

– Ce doit être un très grand médecin, s'il est capable d'accomplir pareil miracle. Qui est ce Corry ?

– C'était un de mes étudiants. Je conserve une liste de tous mes anciens élèves, comme vous voyez. Vous aussi, vous y figurerez. Je consigne dans mes registres les noms de ceux que j'ai aidés dans leur carrière. Ce sont pour la plupart des médecins, mais pas tous. Monty Corry est un vieil ami, mais ce n'est pas lui le spécialiste en question.

– Qui est cet homme ?

– Le meilleur spécialiste d'Europe, répondit-il. D'Europe et peut-être même du monde. Apportez-moi mon papier à lettres. Je dois réfléchir à la meilleure manière de lui présenter les choses.

Bell reprit son air absorbé et je le regardai écrire en silence. Au bout d'un moment, il poussa un juron et chiffonna sa feuille, puis se ravisa et défroissa son brouillon, dont il recopia finalement quelques lignes au propre. Avec une lente application, il acheva sa tâche. J'avais déjà vu Bell écrire des lettres dans cet état de concentration absolue, mais contrairement à son habitude, après avoir mis le point final à sa missive, il ne me la donna pas à relire. Il glissa la feuille dans une enveloppe qu'il scella d'un cachet de cire après avoir inscrit l'adresse au recto. Il me confia le soin de la poster, ce qui me permit de lire au moins l'adresse, avant de glisser l'enveloppe dans une boîte aux lettres qui se trouvait sur ma route.

Monsieur l'Hon. Montague Corry,
Hughenden Manor,
High Wycombe,
Bucks.

14

En ce début de semaine, je retournai encore une fois dans la salle de lecture de la vieille bibliothèque municipale. Ses vénérables odeurs de cuir et de bois poli me changeaient de l'atmosphère poussiéreuse et chagrine de la bibliothèque de médecine où j'étais sûr de rencontrer mes camarades, qui n'avaient de cesse de m'arracher à mes livres pour m'inviter à être le onzième joueur d'une équipe de cricket ou à taper dans le ballon sur le terrain à proximité pendant une demi-heure. Pire encore, je me faisais parfois entraîner dans une taverne du quartier avec tous les piliers de bar. Je ne savais pas dire non. Sans être un parangon de sobriété, je n'oubliais pas que j'avais non seulement des études à mener, mais aussi un condamné à mort à sauver. J'avais appris qu'il avait droit à un pichet de bière aux repas, entre autres petits privilèges accordés à ceux qu'on allait expédier dans l'autre monde en toute légalité avant la fin du mois.

Je cherchais à glaner tous les renseignements possibles sur les principaux protagonistes de l'affaire : Lambert, Eward et surtout Mlle Hermione Clery. J'étudiai leurs antécédents familiaux, pris note les lieux où ils avaient séjourné et relus les articles de presse qui avaient parlé d'eux, jusqu'au moment où je commençai à souffrir de terribles crampes aux doigts. Mes phalanges crispées avaient la souplesse d'une manivelle. J'essayai d'écrire de la main gauche, sans grand succès ; je traçais les mots avec une lenteur désespérante.

– Mr Doyle ? chuchota une voix, me tirant brusquement de mes pensées.

Le murmure était de rigueur dans la bibliothèque pour ne point troubler le silence de la salle, mais celui qui venait de prononcer mon nom à voix basse aspirait surtout à la discrétion.

– Lieutenant Bryce ! m'exclamai-je, surpris de le découvrir là. Comment avez-vous fait pour me trouver parmi tous ces livres ? Asseyez-vous. Le vieux monsieur à côté de moi ne va pas revenir à sa place avant un moment. Comme vous voyez, il a des goûts éclectiques : *Les Oiseaux d'Angleterre*, *Catulle* et *La Guerre Sainte*. C'est l'heure du déjeuner et il est parti boire un coup au M'Cordick's, il ne devrait pas revenir avant une bonne demi-heure.

Le policier se retourna pour voir s'il avait attiré l'attention de quelqu'un dans la salle de lecture, mais bien qu'il ne fût pas un habitué des lieux, son entrée était manifestement passée inaperçue. Il coula son impressionnante carrure sur la chaise, qu'il rapprocha de la mienne.

– Mr Doyle, vous ne m'avez pas vu ce matin et je ne vous ai pas parlé, c'est bien clair ?

Je hochai lentement la tête, me demandant pourquoi il n'avait pas choisi d'adopter la même attitude lors de notre précédent rendez-vous avec Joe Bell.

– J'ai un message pour le Dr Bell, ajouta-t-il. Auriez-vous l'obligeance de le lui transmettre de ma part ?

– Certainement, lieutenant. Mais vous ne pouviez pas nous parler franchement la dernière fois ; les choses auraient-elles changé depuis ?

– J'ai besoin d'un conseil, Mr Doyle. Je regrettais vraiment de ne pouvoir vous aider, l'autre soir, comme vous l'avez peut-être remarqué. Mais si je puis être libéré, avec les honneurs, de mon devoir de réserve, je suis prêt à parler : voilà l'objet de ma requête au Dr Bell. Vous me suivez ?

– Vous cherchez le moyen de dire ce que vous savez sans encourir le courroux de vos supérieurs.

– En gros, c'est à peu près ça. Pourriez-vous m'arranger un rendez-vous avec le Dr Bell dès que possible ?

– Ce soir, il doit donner une conférence à l'Old College. Si vous passez chez lui juste avant qu'il ne sorte, vers 18 h 30, je suis sûr qu'il acceptera de vous recevoir.

Bryce attendit un instant, se demandant si j'allais ajouter autre chose, puis se remit debout sur ses pieds de colosse.

– Ah, lieutenant Bryce, la maison du Dr Bell est surveillée jour et nuit, sachez-le !

– Merci de me prévenir, monsieur. Je suis un peu au courant de ce genre de procédé. C'est d'ailleurs pour cela que je vous ai suivi ici. Il doit y avoir une entrée de service à l'arrière, chez le Dr Bell. Est-ce que je me trompe, Mr Doyle ?

Je ne connaissais pas la maison du Dr Bell de fond en comble, mais elle n'était pas très différente de ma propre demeure. Elle devait donc, lui répondis-je, sûrement posséder une entrée de service.

Sans même m'accorder un signe de tête, il repartit, mais vers le fond de la salle, où il feignit d'examiner la collection complète d'ouvrages de référence alignés sur les rayonnages avant de se décider à repasser la porte de la bibliothèque.

Un beau désordre régnait chez mon ami, quand j'arrivais chez lui le soir. Tous ses tiroirs étaient grands ouverts, et des chemises gisaient éparpillées aux quatre coins de la pièce. Il s'escrimait sur le bouton de son col et se mit à me louer les vertus du sang-froid, sans cesser toutefois de se tortiller et s'agiter en tous sens.

– J'espère que vous avez bien reçu mon billet ? dis-je.

– Oui, oui ! C'est vraiment le cadet de mes soucis.

Je l'aidai à nouer sa cravate, ce qui me valut un

petit cours sur les origines de cette coutume vestimentaire. Enfin, il fut prêt. Il avait réussi à revêtir toutes les pièces de son costume et ses papiers étaient rangés en bon ordre dans une sacoche de cuir marocain.

– Vous devriez manger un morceau avant de partir, lui conseillai-je.

– Je suis incapable de rien avaler. Oh ! Mais pourquoi donc ai-je accepté cette conférence ? Comment ai-je pu croire que le mois d'octobre n'arriverait jamais ? Dites-moi, de quoi ai-je l'air ? s'enquit-il, désespéré.

Je reculai d'un pas pour le jauger de haut en bas, et m'empressai de le rassurer : il avait tout du distingué universitaire qu'il était.

À ce moment-là, la sonnette retentit. La logeuse vint frapper à la porte. L'instant d'après, le lieutenant Bryce était assis dans le fauteuil de rotin près du feu. Recouvrant ses esprits, Bell s'empressa d'offrir un verre à Bryce, se servit lui-même une grande rasade, puis, après réflexion, en versa la moitié dans un troisième verre qu'il me tendit.

– Je ne vais pas pouvoir vous accorder beaucoup de temps, lieutenant. Mais dites-moi en quoi je puis vous être utile.

– Docteur, cela fait trente ans que je suis dans la police…

– Oh, nous n'aurons jamais le temps si vous vous mettez à nous raconter l'histoire de votre vie ! Nous savons que vous avez reçu des distinctions, que vos chefs ne tarissent pas d'éloges sur vous et tout le reste. Venez-en donc au fait.

– Docteur, je vais vous parler franchement…

– Bien sûr, bien sûr ! Vous êtes venu pour ça, non ? Il n'y a personne dans le placard ni derrière la porte en train de nous écouter. Alors, allez-y ! Parlez sans crainte ni retenue. Seulement faites vite. Je dois être parti dans moins de cinq minutes.

– Trois ! lançai-je. Le fiacre est déjà devant la porte.

– Nous avons laissé passer une erreur judiciaire sans rien faire, docteur. Je crois que vous savez de quoi je parle. Je n'étais pas chargé de l'enquête préliminaire, mais quand ils m'ont confié la barre peu après, j'ai bien senti qu'une amarre avait lâché et que le navire avait perdu son ancre dans les remous de cette affaire. Bref, ils ne se sont même pas rendu compte qu'ils dérivaient ! J'ai bien essayé de le leur dire, mais ils étaient déjà lancés à la poursuite de Lambert à Liverpool et à New York.

– Nous n'avons pas le temps d'entrer dans les détails maintenant. Que voulez-vous exactement ?

– Docteur, un officier de police doit savoir rester à sa place. Il ne conteste pas les décisions de ses supérieurs.

– Dans l'intérêt de la justice, c'est pourtant ce que vous devriez faire, lieutenant !

– Ce n'est pas comme ça que les choses se passent, docteur. Autant me jeter dans une mare infestée de crocodiles. Je serais radié sur-le-champ et le jeune Lambert pendu comme prévu. Non, je me disais qu'il pouvait y avoir un autre moyen.

– Et si j'écrivais à mon collègue le Dr Keefer, préfet de Sa Majesté en charge de l'administration pénitentiaire en Écosse ? Je lui dirai que vous avez besoin d'une garantie d'immunité pour pouvoir apporter votre témoignage.

– Oui, c'est exactement ce qu'il me faudrait. Mais inutile d'ébruiter la chose. Je ne veux pas de journalistes ni…

– Ce crime a déjà fait grand bruit et cela m'étonnerait que vous puissiez y échapper, mon ami. Il y avait encore un éditorial ce matin dans le *Times*, très critique sur la manière dont cette affaire a été jugée. La meute est lancée, lieutenant, et les journalistes ne lâcheront pas prise de sitôt, faites-moi confiance. Mais je vais écrire cette lettre et je vous tiendrai au courant. Bien, il faut que je me sauve maintenant. Doyle, vous avez pris ma sacoche ? Où ai-je donc mis mon chapeau ? Bon sang ! Qu'est-ce qui m'a pris de vouloir me mettre à faire des discours ?

15

J'avais rejoint Bell chez lui, comme d'habitude, après le repas du soir. Il était plongé dans la lecture d'un ouvrage médical et dégustait cet excellent porto qu'il m'avait parfois invité à boire avec lui. Je venais le tenir au courant du progrès de mes recherches.

– Vous savez, ce type est toujours de l'autre côté de la rue à espionner vos fenêtres, Bell. Vous persistez à le croire inoffensif ?

– Oh, mon ami, je n'ai jamais dit qu'il était inoffensif. Seulement, il ne peut rien tenter contre nous sans que nous le sachions. Mais je vois bien que sa présence vous rend nerveux. Bon. Je vais réfléchir à son cas.

Plusieurs jours avaient passé. Des journées bien remplies, qui ne m'avaient pas laissé beaucoup de temps pour mon ami. Avec ma mère et l'une de mes sœurs, j'étais allé à la maison de repos rendre visite à mon père. L'établissement, sis sur une colline, offrait une vue imprenable sur l'estuaire, là où le fleuve faisait un méandre vers la ville. L'état de mon père ne me sembla pas s'être beaucoup amélioré depuis la dernière fois que je l'avais vu. Il fit de son mieux pour garder le sourire et évita avec soin de parler des problèmes que nous avions tous en tête. Il me dit qu'il était fier de mes progrès à la faculté de médecine et me montra quelques dessins qu'il avait faits dans les jardins de la maison de repos. Je promis de lui apporter plus de papier la prochaine fois. Je sortis de cette visite dans un état de lassitude extrême, sans trop pouvoir me l'expliquer. Naturellement, nous devons tous nous acquitter de certains devoirs envers nos parents, mais pourquoi est-ce toujours si difficile ?

Je continuais d'assister aux cours, faisais ce que l'on attendait de moi au laboratoire, et consignais scrupuleusement le résultat de mes expériences visant à mettre au point des lentilles correctrices pour astigmates.

J'étais retourné plusieurs fois à la prison rendre visite à Alan Lambert. Au début, nous parlions surtout de son affaire. Je voulais tout savoir de ses faits et gestes, dans les moindres détails, juste avant et après l'heure du crime. Sur les conseils de Bell, j'allai traîner dans les rues et venelles autour de Howe Street pour parler aux voisins de Lambert. Celui-ci semblait très intéressé par les conversations que je lui rapportais. Cela le distrayait d'avoir des nouvelles des familles à qui il avait loué son ancienne maison, et de sa maîtresse, Agnes Flett, qui logeait désormais dans une chambre située un peu plus loin sur Howe Street. De son côté, le prisonnier me racontait des anecdotes pleines d'humour, dénotant un fin sens de l'observation, sur le boucher, le boulanger et le tailleur borgne de son quartier. Dans cette cellule mal éclairée par une lampe à gaz grillagée, avec sa maigre couverture repliée au bout de sa couche étroite, il semblait plus que jamais victime d'un mauvais tour du destin, le jouet de dieux cruels. Cette idée m'était insupportable et, pour éviter de trop songer à son fatal rendez-vous avec le bourreau, j'essayais de me comporter en invité modèle.

Quand nous ne parlions pas, nous jouions aux dames.

– Je fais des parties avec les gardiens, me dit-il. Je ne suis pas très bon, mais à force de jouer je progresse. Et puis, ça m'aide à tuer le temps. C'est pour cette raison, je suppose, qu'ils encouragent ce genre de jeu.

Je n'osai pas le regarder droit dans les yeux, mais je ne pouvais pas non plus faire semblant de m'intéresser à autre chose, vu le dénuement de la cellule. Mon embarras, trop visible, ne dut pas échapper à mon hôte. S'il songeait à la date fatidique du jeudi 23, qui se rapprochait inexorablement, s'il redoutait de voir pour la dernière fois la lumière du jour, ce matin-là, à 8 heures, il n'en parlait que rarement. Le plus souvent, il m'encourageait, et à travers moi, le Dr Bell, à poursuivre nos investigations sur le crime. Une fois seulement, il s'abandonna complètement au désespoir, mais il parvint à reprendre le dessus rapidement et me lança même une plaisanterie quand je partis. Quelle que soit la façon dont tout cela finirait, j'étais heureux d'avoir fait la connaissance de cet homme.

Pour autant que je puisse en juger, il n'avait rien d'un assassin. Ce garçon était issu du même milieu que moi, peut-être même un peu plus favorisé que le mien, et nous avions beaucoup en commun. Lui et son frère avaient reçu un bien lourd héritage en portant le nom sacro-saint de ce grand-père dont tous vénéraient le souvenir. Sa gloire passée avait enfermé la famille dans une cage de moralité, où ils étouffaient tous les deux.

Il m'arriva plusieurs fois de croiser Graeme dans la cour ; soit il allait rendre visite à son frère, soit il venait juste de le quitter. À deux reprises, il m'attendit et nous causâmes tout en marchant, pressés de mettre de la distance entre nous et la prison. Je lui présentai les serveuses du Rutherford's mais, s'il avait une bonne descente, ce n'était pas un coureur de jupons comme Stevenson. Il me parla un peu de la vie bohème qu'il menait parmi les peintres et artistes de la ville, de leur souverain mépris pour l'argent, les conventions et toute forme d'autorité. Un soir, alors que nous sortions du bar, une petite bande de jeunes gens bien habillés et bruyants, cherchant manifestement la bagarre, nous dépassèrent. Ils avançaient dans Drummond Street en faisant rouler devant eux un chapeau à coups de pied et en poussant de grands cris. On se serait cru au beau milieu d'une troisième mi-temps. Bras battant l'air, écharpes au vent, ils nous doublèrent quand, tout à coup, l'un d'eux se retourna.

– Mais c'est ce petit péteux de Lambert ! s'exclama-t-il.

Les autres se retournèrent à leur tour, l'œil mauvais.

– Pas de gros mots, Andrew, tu vas le faire rougir !

– Mais que fait le bourreau ? gémit le jeune type blond qui avait perdu son chapeau.

– Chut ! Il pourrait nous égorger, nous aussi. On les connaît, ces Lambert ! Une poule et un fonctionnaire, ça ne leur a pas suffi ! Mais on ne va pas se laisser faire !

Nous nous sauvâmes par l'escalier d'une ruelle transversale et ne tardâmes pas à nous perdre en essayant de semer nos poursuivants. Les petites rues entre Drummond Street et Surgeon's Square étaient noires et sinueuses. Les jeunes gens, échauffés par l'alcool, étaient toujours sur nos talons. Tapis dans l'ombre d'une impasse près d'Infirmary Street, nous les vîmes passer en trombe devant nous, leurs cannes et leurs écharpes luisant sous le clair de lune. Notre feinte réussit. Ils s'éloignèrent et nous pûmes enfin sortir de notre cachette. Mais je craignais encore que ma respiration bruyante ne nous trahît.

– Andrew Burnham, dit Graeme, était une brute à l'école. Je me le rappelle bien. Et David M'Clung, celui dont ils ont pris le chapeau… j'étais aussi avec lui à l'école. Son père dirige la compagnie d'exploitation du pont ferroviaire de la Tay.

– Ils ont ton âge, fis-je. Ce sont des gosses de riches qui ont bu un coup de trop. Je ne pense pas qu'ils auraient été vraiment capables de nous faire du mal.

– Quand il était petit, Andrew Burnham s'amusait à noyer les chatons.

Nous nous séparâmes sur High Street. Rassuré par les lampadaires, je me sentis l'envie subite de marcher en sifflotant, mais je m'en abstins prudemment.

Par trois fois je rencontrai Louise, en allant rendre visite à Alan Lambert. Avec elle aussi, une amitié naissante s'instaura. Un soir, elle m'emmena à son club de lecture écouter George Meredith, qui nous lut *L'Égoïste*, livre aussi étrange qu'admirable, d'une petite voix aiguë qui, bizarrement, emplissait la vaste salle. Elle me fit comprendre qu'elle préférait éviter toute allusion aux malheurs d'Alan. Je me conformai à son vœu, qu'elle respecta de son côté. Assis près d'elle, je lui jetai quelques regards furtifs pendant la lecture, voyant bien que son esprit était ailleurs. Après, nous allâmes dîner dans la seule auberge respectable que je connaissais, où nous pouvions manger et parler sans risquer de compromettre la réputation de la jeune femme.

– Vous trouvez cela très noble de sauver les gens dans la détresse, je suppose ? me lança-t-elle en me dévisageant comme si j'étais parfaitement ridicule.

– Je n'ai encore sauvé personne. On ne gagne pas grand-chose à aider son prochain, vous savez.

Elle fronça les sourcils et changea de sujet. Elle me raconta une pièce de théâtre amateur qu'elle était allée voir avec son frère, pour nous éviter de donner voix aux idées qui nous trottaient dans la tête à tous deux. Elle parla longtemps, sans s'arrêter. Je ne l'écoutais que d'une oreille. C'était une gentille fille, mais elle était complètement soumise à son tyran de père.

Elle m'offrit encore le plaisir de sa compagnie à l'occasion d'un concert : cette fois-ci, nous étions allés écouter la musique de Händel dans un des salons de réception à proximité de Princes Street. C'était après ce concert que j'étais arrivé chez Bell un peu plus tard que de coutume, en me plaignant de la sentinelle, toujours tapie dans les buissons en face de chez lui. Je m'exagérais peut-être la menace de cette ombre nocturne. Mais la réaction de Bell, comme je le disais plus tôt, me rassura. Je savais qu'on pouvait lui faire confiance quand il affirmait quelque chose. Grâce à lui, cette nuit-là, je dormis bien.

Bell avait écrit à son ami de l'administration pénitentiaire au sujet de Bryce en rentrant de sa conférence. Il ne restait plus qu'à attendre la réponse. Quand la fameuse lettre arriva, il m'annonça la nouvelle au dispensaire, m'invitant à venir en discuter chez lui, après le repas du soir, autour d'un verre de sherry.

Je sonnai à sa porte peu avant 20 heures. Mrs Murchie, la logeuse, s'empressa de me conduire à l'appartement de Bell.

– Le Dr Keefer m'a joint la réponse de sir George Currie, le lord Advocate, me dit-il. J'ai envoyé un petit mot à Bryce pour le prévenir.

Ce disant, il me tendit la lettre de sir George Currie attachée aux quelques lignes écrites par le Dr Keefer. Le lord Advocate lui avait fait la réponse suivante :

... Si l'officier de police mentionné dans votre lettre veut bien me faire parvenir par écrit les faits dont il a été témoin et dont il a parlé au Dr Bell, j'examinerai sa déposition avec la plus grande attention...

– C'est une excellente nouvelle, je dois vite prévenir Louise !

– Graeme devrait être averti le premier, me répondit-il avec un clin d'œil, c'est lui qui est venu solliciter nos services, je vous le rappelle ! Mais je vous recommande de n'en rien faire, ajouta-t-il en changeant subitement d'expression. Pour l'instant, inutile de leur donner de faux espoirs.

Les sautes d'humeur de Bell commençaient à m'être familières, mais celle-ci était inédite.

– Cette bonne nouvelle n'a pas l'air de vous réjouir. Pourquoi donc ?

Bell alla prendre la carafe dans le buffet, me servit à boire puis remplit son propre verre.

– Il n'est pas fait la moindre allusion d'une immunité ou d'une protection pour notre ami Bryce.

– Mais ils sont prêts à verser son témoignage au dossier. Et il sera bien difficile de passer sous silence la déposition d'un policier comme Bryce.

– Je pense comme vous, Doyle. Je sais bien qu'il dira la vérité, mais je ne suis pas du tout sûr que cela suffira à lever les obstacles. Nous voulons réparer une injustice, montrer qui a tort et qui a raison dans cette affaire : quoi de plus légitime ? Mais le lord Advocate va se retrouver confronté à d'énormes dilemmes. N'oubliez pas que c'est lui qui a mené l'instruction contre Lambert. Il doit aussi se prononcer sur une demande de pourvoi qui va contre sa conviction. S'il y a effectivement eu erreur judiciaire, George Currie risque gros. Il peut soit garder soit lever le secret sur cette affaire. Mais si nous avons raison, si Bryce est effectivement capable de démonter les charges retenues contre le jeune Lambert, ce sera le tollé général dans la police ! Imaginez la réaction de sir George Currie, si nous attaquons son dossier d'accusation ! Il va y avoir du grabuge, je vous le dis. En outre, si le ministre de l'Intérieur doit intervenir, vous savez qu'il consulte toujours le lord Advocate pour se faire un avis. George Currie représente l'autorité de la Couronne au nord de la

Tweed. C'est le plus haut magistrat et tout passe par lui, il n'y a aucun moyen de contourner ses décisions.

– Mais ils se déshonoreraient à vouloir étouffer l'affaire. En leur for intérieur, ils savent bien qu'ils doivent servir la justice.

– Ah, mon garçon ! Quand j'avais votre âge, j'avais moi aussi la tête pleine de belles idées sur la justice. J'y crois encore, bien sûr, mais l'expérience m'a appris à ne plus me faire d'illusions. Le commissaire a laissé les enquêteurs suivre de fausses pistes. Chez le prêteur sur gages, Bryce et Webb ont dû, tout comme nous, découvrir que ce n'était pas la bonne broche. M'Sween, le commissaire adjoint, en a sûrement été informé. Pourquoi n'a-t-on pas ensuite versé cette information au dossier, ni celles concernant le North-Western Hotel ? Pourquoi ces hommes, qui ont résolu tant de crimes dans cette ville par le passé, n'ont-ils pas rectifié le tir pour orienter l'enquête dans une autre direction, plus pertinente ? Je vous laisse réfléchir à cette question pendant que je me ressers un verre.

Je méditai donc là-dessus, assailli par de nouvelles questions, pareillement sans réponse. Cette affaire sortait de l'ordinaire. Les autorités n'avaient pas mené l'enquête comme elles le faisaient habituellement. Les policiers avaient pris des gants. Que cela signifiait-il ? Qu'ils risquaient de gros ennuis s'ils trouvaient le vrai coupable ?

J'interrompis mes réflexions pour me servir un

autre verre de vin, avec les félicitations de mon mentor :

– Bravo ! Bravo ! s'exclama-t-il, frappant un dessus-de-plat en argent avec une pantoufle pour m'applaudir. Vous devriez consigner tous les détails de notre enquête dans votre carnet de notes, Conan. Vous pourriez vous en resservir pour vos œuvres de littérature. Dans cette affaire étrange, dans sa première phase du moins, la réalité dépasse vraiment la fiction !

La sonnette de la porte en bas retentit, et les larges épaules du lieutenant Bryce s'encadrèrent bientôt dans l'embrasure de la porte du salon de Bell.

– J'espère que vous avez été prudent en venant ici, lieutenant, la maison est surveillée.

– Personne ne m'a vu. Je suis passé par-derrière. Je connais ce dédale de ruelles comme ma poche.

– Alors, avez-vous pris une décision, lieutenant Bryce ? s'enquit Bell. Je vous ai fait part de mes craintes.

– Je suis allé trop loin, je ne peux plus reculer, docteur. Alors autant continuer.

– À la bonne heure ! Vous êtes courageux. J'ai récapitulé pour vous les divers points que vous pourriez évoquer dans votre lettre à sir George.

Bell tendit au lieutenant de police une feuille de papier, copie de la liste qu'il avait déjà établie, me permettant cette fois de la lire. Nous prîmes le temps de la parcourir tranquillement, Bryce et moi, puis de réfléchir à son contenu. De sa belle écriture bien lisible, le Dr Bell avait noté les questions suivantes :

1. L'un des témoins appelés à identifier le suspect aperçu le soir du crime a-t-il cité un autre nom que celui d'Alan Lambert ?

2. La police en a-t-elle eu connaissance ? Si oui, pourquoi cette déposition n'a-t-elle pas été présentée au procès ?

3. Lambert s'est-il soustrait à la justice ?

4. La police savait-elle que Lambert s'est présenté sous sa véritable identité au North-Western Hotel, à Liverpool, sans omettre de préciser son ancienne adresse, et que sa réservation sur le bateau qui devait le conduire en Amérique était de plusieurs semaines antérieure au crime ?

5. Pourquoi la police n'a-t-elle pas abandonné la piste de la broche de diamant gagée, en découvrant que celle-ci avait été déposée à la boutique bien avant le double meurtre, et que le détenteur du ticket de gage ne pouvait donc pas être le voleur de cette autre broche de diamant appartenant à l'une des victimes du crime ?

– Vous aurez sûrement envie d'ajouter des choses à cette liste, mais je crois avoir noté tous les points importants. L'ensemble des découvertes que nous avons faites de notre côté y est, en tout cas.

Bryce, le papier à la main, leva les yeux. Un petit sourire étirait ses lèvres.

– Je compte y ajouter des choses que je ne peux pas vous révéler pour l'instant, docteur. Des vices de procédure, de la part de la police, tant ici qu'à New York. Sachez aussi que certains témoins interrogés par les enquêteurs n'ont pas été appelés à la barre. Autant de manquements dont je vous laisse imaginer la gravité.

– Lieutenant, fit mon ami, il est impossible de dire aujourd'hui si votre action portera ses fruits. Peut-être sauverez-vous une vie. Peut-être réparerez-vous une terrible injustice. Mais quoi qu'il arrive, vous faites vraiment honneur à cette vieille tradition qui veut que la loi soit respectée dans nos îles. Je serais très heureux de vous serrer la main. Vous êtes un officier intègre et courageux.

Bell prit la main de Bryce dans les siennes et la serra avec chaleur. Ému, à court de mots, le policier se détourna et s'en retourna vers la porte. Nous l'entendîmes trébucher dans l'escalier, rétablir son équilibre, puis sortir par l'entrée de service.

Après son départ, Bell resta posté un long moment à la fenêtre pour s'assurer que Bryce avait réussi à filer par les ruelles situées à l'arrière de la maison sans attirer l'attention. Il finit par se retourner vers moi en secouant lentement la tête.

– Je crains malheureusement qu'il ne connaisse le sort réservé à ceux qui trahissent les secrets de la machine pénitentiaire. Concrètement, cela signifie être radié de la police, dégradé et privé de pension. Triste destin pour un homme bon et honnête. Vil et honteux procédé qui déshonore ce pays.

– Mais ce n'est pas encore fait. Peut-être même que cela n'arrivera pas.

– Puissiez-vous dire vrai, mon garçon.

16

Il ne restait plus qu'une semaine avant la pendaison. Sept petits jours de sursis pour le jeune Lambert. Bien des choses étaient arrivées entre-temps, mais rien de positif.

Le lord Advocate accepta donc la déposition de Bryce. Malgré sa discrétion, les journaux eurent vent de l'affaire. Sir George Currie avait demandé à Mr Fraser Montgomery, le shérif de Midlothian, d'ouvrir une contre-enquête et de lui faire son rapport rapidement. Nul ne saura probablement jamais quelles furent les instructions confidentielles qu'il reçut, mais le *Times* et le *Scotsman* s'empressèrent de dénoncer les contraintes imposées à la commission et l'inanité d'une nouvelle enquête dans ces conditions. Les débats se déroulèrent à huis clos. On ne pouvait obliger les témoins à comparaître ni à prêter serment. Quant au prisonnier, il n'eut pas le droit de se faire représenter ni d'assister aux auditions. La commission n'était pas non plus autorisée à mener de nouvelles investigations sur l'instruction du procès. Le coup de grâce fut le suivant : l'accusé était exclu des débats, comme je le disais plus tôt, mais le shérif remercia avec gratitude sir William Burnham, le procureur, et sir Alexander Scobbie, le commissaire de police d'Édimbourg, pour l'aide qu'ils lui avaient apportée. C'était un désastre.

– Charité bien ordonnée commence par soi-même, me dit Bell à ce moment-là. Ces fonctionnaires étant responsables de la première instruction, ils ont tout intérêt à continuer de la défendre.

J'envoyai une lettre à la presse. « Ce procès n'est pas seulement celui de Lambert, mais aussi celui de la police, écrivis-je. À quoi bon ouvrir une information judiciaire, si l'on ne peut même pas enquêter sur les méthodes employées par la police ? » Cette idée-là me taraudait depuis longtemps. Je m'en étais déjà ouvert à Bell. C'était la première fois que j'écrivais au *Scotsman*, mais je fus bien récompensé de ma peine, car ils publièrent ma lettre.

Le commissaire et le procureur furent eux aussi bien récompensés de leurs efforts avec la parution d'un livre blanc, basé sur le rapport de la commission, le 16 décembre. La presse, en Angleterre comme à l'étranger, réserva un accueil glacial à ce compte rendu. Elle réclama un sursis pour le condamné, une révision de son procès. Naturellement, les questions fusèrent à la chambre des Lords pour savoir si le ministre de l'Intérieur allait intervenir dans l'affaire

Lambert. Au milieu de protestations bruyantes de part et d'autre de l'assemblée, l'intéressé répondit qu'après mûre réflexion il se proposait de ne rien faire.

Évidemment, la publication du livre blanc sonna le glas du lieutenant Bryce. Pour commencer, il fut suspendu de ses fonctions dès le début de la semaine, avant même que le contenu du document n'eût été rendu public. Le lieutenant fit immédiatement appel au lord Advocate, lui rappelant qu'il avait accepté de lui envoyer une déposition écrite à sa demande et sous réserve qu'il lui accordât sa protection. Mais le bureau du lord Advocate ne daigna pas lui communiquer la moindre réponse.

Les pires craintes de Bell se confirmaient donc, et la situation de Lambert n'était pas plus brillante qu'avant. Ce jeudi-là, je gravis les marches menant à l'appartement de Bell à pas lents, pensant trouver mon ami aussi abattu que moi. Mais, à ma grande surprise, il était plein d'entrain. Son exubérance chassa mes doutes et mes peurs. Il me rappelait Macbeth dans le dernier acte, se sachant condamné mais résolu à se battre jusqu'au bout : « Au moins, nous mourrons vêtus de notre armure. »

– Ne pouvons-nous vraiment rien faire ? lui demandai-je. J'ai l'impression que tout est perdu.

– Rien n'est perdu, au contraire. Maintenant que la police a fait la démonstration de sa toute-puissance à Bryce, il ne devrait plus se sentir longtemps tenu de garder ce qu'il sait pour lui. Il va enfin nous révéler des choses que nous n'aurions jamais pu apprendre autrement.

L'expression radieuse de Bell me semblait un peu déplacée vu la gravité de la situation. C'est à peine s'il paraissait partager mon désespoir. Mon ami se réjouissait bel et bien de ce nouveau coup du sort.

– Conan, nous nous sommes évertués ces dernières semaines à faire libérer un innocent. Nous avons tout fait pour démontrer que l'arrestation de Lambert et les charges retenues contre lui étaient absurdes. Mais il nous faut changer de tactique, à présent, ou du moins la renforcer par une autre. Désormais, nous devons essayer de démasquer le véritable meurtrier.

– En quoi cela sauvera-t-il le pauvre Alan Lambert ? Il sera mort et enterré dans quelques jours ! Même si nous découvrons le véritable assassin d'ici là, ça ne servira plus à rien. Ne vaudrait-il mieux pas persévérer dans notre première tactique tant qu'il en est encore temps ?

– Nous avons rendez-vous avec Bryce à Waverley Market dans quarante minutes. Nous verrons bien s'il a des révélations à nous faire.

– Oui, mais…

– Mais quoi, Doyle ? Ne cédez pas au désespoir. Il nous reste encore sept jours, voyons ! Cent soixante-huit heures en tout. On peut déplacer des montagnes en moitié moins de temps.

– J'ai bien peur que ce ne soit pas suffisant. Dans

le meilleur des cas, nous réussirons peut-être à laver le nom d'un homme injustement exécuté.

– Sornettes ! En dernier recours, nous pourrons toujours kidnapper Mr Marwood, mais je doute que nous ayons besoin d'en arriver là. Allons, du courage ! Les obstacles ne manquent pas, le chemin est encore long, mais je sais quelle route suivre. Avec votre aide, je suis persuadé que nous allons réussir haut la main.

Une demi-heure plus tard, nous errions parmi les voitures à bras et les éventaires de Waverley Market. Des quartiers de viande fraîchement équarris pendaient à des crochets alignés sur des montants métalliques. Les bouchers présentaient leurs marchandises par ordre d'arrivage : les jarrets, les côtes, l'épaule et enfin le collier, le dernier à être livré. Des guirlandes de saucisses fraîches ou fumées décoraient les divers étals proposant pâtés et terrines, jambons et pieds de porc, flèches de lard et morceaux de bacon. Une espèce de chou frisé marronâtre voisinait avec les betteraves, carottes, navets, pommes de terre et panais sur les tréteaux de légumes. Leur qualité était médiocre, mais à cette époque de l'année, tout ce qui se trouvait en terre avait déjà bien souffert des gelées. Outre les marchands de légumes et de viande, de nombreux artisans s'appliquaient à la tâche : maroquiniers travaillant des bourses en peau, des cuillères en corne, des sacoches de cuir et des cornemuses, cordonniers et bourreliers, chaudronniers entrechoquant bouilloires et marmites dans un fracas assourdissant de marteaux frappant le métal. On piétinait les immondices qui s'étaient accumulées sur le sol au fil de la matinée, dont le crottin laissé par les chevaux des charretiers. Le nez assailli d'odeurs fortes, l'œil désorienté par la profusion des marchandises, on était assourdi par la cacophonie des cris, jurons et boniments des vendeurs. Bell acheta des pommes d'un jaune brunâtre pour quelques pence. Pour ma part, je m'offris le réconfort d'un morceau de sucre candi.

Un pan de la façade de la gare servait de mur de soutènement à une gargote à la structure branlante. On y servait un petit déjeuner consistant aux marchands et à leurs clients qui, juchés sur des tabourets, mangeaient au coude à coude autour de petites tables de bois. Dans le fond de l'échoppe, une forte mais avenante jeune femme faisait cuire du hareng frais, du bacon et des toasts sur un poêle en fonte, dont le tuyau traversait le toit. Quand elle ne rechargeait pas le poêle en bois, elle remplissait les tasses d'un thé noir et fort, et prenait plus ou moins les commandes. Hormis la fille qui lui rapportait du bois et débarrassait maladroitement les tables venant de se libérer, je ne vis personne d'autre pour l'aider à faire tourner la gargote. La cuisinière s'affairait en tous sens, le visage luisant. Elle portait une grosse bourse à la taille, accrochée à une ceinture large, qui retroussait hardiment ses jupes. Elle y rangeait l'argent que lui donnaient les clients. Avec une bonne humeur inaltérable, elle répliquait aux plaisanteries salaces des habitués.

Nous venions à peine de nous installer quand j'aperçus Bryce, déjà assis à une table du fond. Il humait une chope de grès fumante, qu'il enserrait de ses grosses mains. Sans montrer qu'il avait aperçu le policier tombé en disgrâce, Bell balaya soigneusement la salle du regard pour vérifier qu'aucun espion ne nous surveillait. Une fois certain que personne ne nous avait suivis, ni Bryce ni nous, il prit nos propres tasses et se fraya un chemin entre les tables, parmi la cohue des marchands, vers le mur du fond. Bryce parut vouloir se lever mais resta finalement assis.

– Lieutenant Bryce, je suis heureux que vous ayez accepté de me revoir. Comme vous le savez, le temps presse.

– Docteur, j'aimerais que vous et votre ami cessiez de vous adresser à moi en usant de mon ancien grade dans la police. Dans la marine, j'étais premier-maître. Vous pouvez m'appeler « commandant », si vous voulez.

– Commandant, dis-je, j'espère que vous serez bientôt réintégré dans vos fonctions. Si nous réussissons à sauver Lambert, vous avez même toutes les chances d'accéder au grade supérieur.

Quand j'eus fini de parler, Bryce échangea un regard entendu avec Bell, qui hocha lentement la tête.

– Vous êtes encore jeune, Conan, fit mon ami. À

votre âge, il n'est pas facile de comprendre qu'un corps constitué, comme l'armée ou la police, a une conscience de sa propre valeur qui excède de loin la vanité d'un individu. La police préférerait encore faire griller notre ami à petit feu plutôt que d'admettre qu'il était du bon côté du bâton depuis le début. Les gens sont faillibles et font des erreurs, les institutions jamais. C'est un principe qui vaut partout dans le monde, mais qui prend une forme encore plus vindicative ici, à Édimbourg.

– Vous dites vrai, docteur, fit Bryce. Et je ne puis vous tenir rigueur de mes malheurs. C'est moi qui ai fait leur lit, il y a déjà longtemps. J'ai bien cherché ce qui m'arrive aujourd'hui.

Devant nos airs interrogateurs, Bryce s'empressa de s'expliquer :

– Il y a quelques années, en 1875, un jeune Canadien du nom de Sennett fut arrêté pour le meurtre de Mrs M'Nabb, une vieille dame solitaire, qui conservait chez elle une fortune en pierres précieuses. Pas moins d'une douzaine de témoins oculaires identifièrent ce jeune homme, disant l'avoir vu prendre la fuite sur le lieu du crime. Sennett clama son innocence. Les témoins exigèrent leur récompense, cent livres à se partager. Malgré l'épais dossier d'accusation monté contre le malheureux garçon – dans l'intervalle, on y avait versé plus d'une centaine de dépositions écrites ou verbales dans lesquelles autant de témoins affirmaient que Sennett était notre homme –, je mis le doigt sur un détail permettant d'établir que l'accusé ne se trouvait même pas en Écosse au moment du meurtre de la vieille dame. L'homme menait une existence fruste, aussi était-il difficile de réunir des preuves de sa présence sur le continent au moment des faits, mais il se rappela subitement avoir déposé son manteau au mont-de-piété d'Anvers, contre un franc ou deux. Je me rendis alors là-bas et récupérai le ticket de gage portant le nom de l'accusé. Il était daté du *lendemain* du meurtre. Croyez-vous qu'on me donna une médaille ? Qu'on me cita à l'ordre du jour ? Que nenni ! Je les avais privés d'un procès d'assises sensationnel. Depuis cet épisode, mes jours dans la police sont comptés.

– Cette histoire nous enseigne qu'il faut se méfier des témoins qui prétendent avoir vu l'assassin quand la seule chose qu'ils ont réellement vue n'est autre que la substantielle récompense offerte par la police en échange d'une information, fit Bell.

– Seriez-vous en train de nous dire que les gens sont prêts à se parjurer et à envoyer un homme à la potence pour quelques guinées ? m'enquis-je avec candeur. Vous nous offrez là une bien triste image de ce pays.

– De l'humanité, me corrigea Bryce en jetant un regard à Bell.

– C'est une histoire émouvante, commandant, mais elle ne fait que confirmer les propos que je tenais à notre jeune ami ici présent. Venons-en à des choses plus concrètes. Vous êtes libéré de vos obligations et n'êtes plus tenu au silence aujourd'hui : quelles sont ces révélations que vous désirez nous faire ?

– Il y en a plusieurs. Tout d'abord, vous devez savoir qu'on a montré aux témoins des photographies de l'accusé, avant de leur faire procéder à l'identification. Par la suite, ils ont donc simplement désigné l'homme qui ressemblait à celui des clichés. À New York, les témoins ont aussi vu le prisonnier en détention avant d'être invité à l'identifier.

– C'est abominable ! Le procédé est plus que discutable d'un point de vue légal, mais je doute que cela suffise à suspendre l'exécution.

– Plusieurs autres témoins ont aperçu le prisonnier en divers endroits, à proximité de son domicile, avant et après l'heure du crime. Mais les seules personnes appelées à comparaître étaient les témoins les plus faciles à discréditer : la maîtresse et la bonne de Lambert. En outre, il y a eu des erreurs dans la conduite du procès : le lord Advocate a présenté certaines hypothèses comme des faits établis. Contrairement aux déclarations d'intention de son discours d'ouverture, il n'a pu prouver ce qu'il avançait. Pire, le juge a ensuite aggravé cette erreur dans son réquisitoire : il a lui aussi pris ces affirmations pour argent comptant, comme si le seul énoncé des faits avait valeur de preuve.

– Oui, j'ai moi-même relevé cette faute de procédure grâce à l'excellent résumé que Doyle m'a fait des débats. Mais cela ne nous avancera pas à grand-chose de faire passer le lord Advocate et le juge pour des imbéciles. Il nous faut un vice de forme plus flagrant.

– Le lord Advocate a déclaré : « Nous ignorons l'emploi du temps de l'accusé au cours de la soirée, entre 6 heures et 10 heures moins le quart. » Or plusieurs témoins ont déclaré l'avoir vu près de son domicile de Howe Street pendant cet intervalle de temps. Cela suffirait-il comme alibi, Dr Bell ?

– Malheureusement, non. Il me faudrait du solide, du concret. Avez-vous autre chose ?

– La bonne, Hélène André, a déclaré qu'elle n'avait pas pu voir le visage de l'assassin parce qu'il lui tournait le dos. Mais à l'impresario de Mlle Clery, elle a prétendu le contraire ; elle lui a même confié qu'elle connaissait cet homme.

– Ah ! Ah ! Enfin quelque chose d'intéressant ! Ceci pourrait expliquer le curieux incident de la porte.

– Quel curieux incident ? intervins-je. Il n'y avait rien dans le rapport d'enquête au sujet de la porte.

– C'est cela, le curieux incident, répondit Bell. Le mobile du meurtre serait le vol, mais il n'y avait aucune trace d'effraction. Comment cela se fait-il, sachant que la porte était solidement verrouillée de l'intérieur ? On n'a donc pu s'introduire dans l'appartement que de trois façons : soit la porte est restée ouverte au moment où l'assassin est arrivé, coïncidence malheureuse mais peu probable ; soit l'assassin possédait son propre jeu de clés ; soit l'une des victimes lui a ouvert. Il n'y a pas d'autres possibilités. La bonne n'avait peut-être pas refermé à clé derrière elle, mais les deux serrures à fermeture automatique bloquaient la porte. Pour s'introduire à l'intérieur, il aurait fallu l'enfoncer avec un bélier. La dernière hypothèse me paraît donc très plausible et parfaitement cohérente avec les circonstances de ce prétendu cambriolage. Rien n'a disparu de l'appartement, à part la broche de diamant qui se trouvait dans la chambre à coucher de Mlle Clery – une bagatelle parmi tous ses objets précieux. Je suis presque certain qu'il aurait suffi de fouiller les affaires de la bonne pour retrouver cette broche soi-disant dérobée par l'assassin. Mais, bien sûr, c'est un peu tard maintenant. Non, on n'a volé que deux choses dans l'appartement ce soir-là. Deux choses précieuses et irremplaçables.

– Si ce n'est pas la broche, docteur, à quoi pensez-vous donc ?

– Je parle simplement de ces deux vies que l'assassin a emportées. Ce n'est pas un cambriolage qui a mal tourné, croyez-moi, les victimes n'ont pas été tuées par un voleur pris de panique. Non ! L'intrus est bel et bien venu pour supprimer ces deux personnes.

– Mais pourquoi voulait-il les tuer ? demandai-je. Tout le monde aimait et admirait Mlle Clery.

– C'est vrai. Néanmoins…

– Dr Bell, l'interrompit Bryce, vous avez peut-être raison. Mais comment comptez-vous apporter la preuve de tout cela en moins de sept jours ?

– Oui, ça ne va pas être facile. Il va falloir mettre les bouchées doubles. Sauf que je risque de ne même pas avoir l'occasion d'essayer.

– Pourquoi donc ? demandai-je.

– Nous avons un autre problème, peut-être bien plus grave.

– Quel problème ? nous exclamâmes-nous en chœur, Bryce et moi.

– Si vous jetez un œil à la porte, vous apercevrez le visage suant et les épaules carrées de l'inspecteur Webb, flanqué de quatre agents de police. Cela m'étonnerait qu'ils soient venus pour les galettes d'avoine de la patronne.

– Qu'allons-nous faire ?

– Très bonne question !

17

Étant assis dos à l'entrée, je pouvais difficilement me retourner pour vérifier ce que Bell venait de nous annoncer sans attirer l'attention des policiers, qui comprendraient alors que nous les avions repérés. Mais le regard de mes compagnons était éloquent. Je réitérai ma question, désireux de savoir ce que nous allions faire, mais n'obtins pas davantage de réponse.

– Je ne pense pas qu'ils viendront nous ennuyer tant que nous resterons là à discuter, fit Bell. Je propose donc que nous poursuivions tranquillement notre conversation. Vous étiez en train de nous parler des surprenantes déclarations de la bonne, ajouta-t-il en se tournant vers Bryce. Si vous voulez bien m'attendre un instant, nous allons revenir sur ce point.

Bell se leva lentement et s'approcha du poêle momentanément abandonné par la cuisinière, qui se querellait avec un client à propos d'une fausse pièce de monnaie. D'un geste décidé, mais sans hâte ni maladresse, Bell posa le porte-toasts sur les plaques brûlantes du poêle. Puis il jeta dessus une poignée de sucre glace, puisé dans un bol sombre en terre cuite commodément placé à portée de main. Aussi tranquillement qu'à l'aller, il revint s'asseoir avec nous.

– Joe… ?

– Ne vous creusez pas les méninges, Conan. J'ai simplement préparé notre départ. Il faudra faire très vite. Mais nous avons encore quelques minutes devant nous. Poursuivez, Bryce, je vous en prie.

– Hélène André est donc allée à Canning Street, le soir du meurtre, chez l'impresario de Mlle Clery, un certain Tom Prentice. Aux inspecteurs qui l'ont interrogé, il a répété ce que lui avait confié cette femme : elle avait vu le visage de l'intrus et lui avait trouvé une « ressemblance », c'est le mot qu'elle employa, avec quelqu'un qu'elle connaissait. Les enquêteurs ont alors pris le nom de l'individu en question et fait leur rapport à leurs supérieurs.

Tandis que nous parlions, un petit nuage s'était peu à peu formé au-dessus du poêle. Dans la salle déjà bien enfumée par les pipes et cigarettes, nul ne s'en aperçut. Mais je remarquai que des volutes plus noires et plus denses commençaient à s'élever au-dessus de la plaque où le sucre brûlait. Bryce poursuivit son récit :

– Qui était cet homme ? Nous l'ignorons. Nous ne savons pas non plus ce que ce mystérieux individu a raconté aux inspecteurs qui l'ont convoqué. Dans tous les rapports où cette personne est citée, son nom n'apparaît jamais. À la place, il n'y a que les lettres XYZ. Quand on m'a confié cette affaire, j'ai été chargé d'informer Tom Prentice que l'on avait pris soin de vérifier ses déclarations concernant ce monsieur XYZ, mais que cette piste n'était pas la bonne. Les réponses de XYZ avaient donné pleine satisfaction aux inspecteurs, aussi était-il inutile de poursuivre les investigations de ce côté. Évidemment, ils s'étaient dans l'intervalle intéressés au jeune Lambert, qui venait d'embarquer pour New York avec une hâte jugée suspecte.

– Qu'est devenu Tom Prentice ? lui demandai-je, songeant que l'impresario accepterait peut-être de nous révéler l'identité de Mr XYZ.

– Il est rentré à New York dès la fin du procès. Il dirige une agence artistique sur la Cinquième Avenue.

– Doyle a raison. Nous allons lui envoyer un câble immédiatement. Il n'y a pas une minute à perdre.

Dans la gargote, la fumée était devenue un épais nuage noir. Je me retournai vers l'entrée sans crainte, car on ne distinguait déjà plus grand-chose à mi-distance.

– Messieurs, il est grand temps de partir, nous annonça Bell. Venez !

Il se leva et déposa quelques pièces dans une soucoupe. Puis, sans la moindre hésitation, il se faufila entre les tables en direction d'une petite porte située du côté est de la salle. Elle s'ouvrit sans peine quand il eut poussé sur le côté la caisse de harengs frais qui encombrait le passage. Nous avions emboîté le pas à Bell en conservant une petite distance entre nous afin de ne pas lui marcher sur les talons. Bryce me précédait et passa donc la porte avant moi. Un petit palier débouchait sur une volée de marches tout juste assez larges pour permettre le passage d'une seule personne à la fois. Quand je m'y engageai à mon tour, Bell était déjà arrivé en haut de l'escalier et Bryce se trouvait à peu près à mi-chemin. Je refermai la porte pourvue d'un carreau vitré derrière moi, et jetai un dernier coup d'œil à la salle, complètement enfumée à présent. Les gens avaient bondi sur leurs pieds et couraient vers l'entrée principale. Webb et ses hommes, eux, allaient à contre-courant, fendant l'épaisse fumée que la cuisinière s'efforçait de dissiper à coups de tablier. Bell poussa la porte en haut de l'escalier et je grimpai les marches quatre à quatre pour rattraper mes compagnons.

Nous étions sur le toit de Waverley Station. Contrairement aux autres gares, à Londres ou ailleurs, généralement pourvues d'une verrière reposant sur de grandes arches d'acier en forme de voûte, celle d'Édimbourg avait un toit plat, agrémenté de longues structures vitrées en forme de V inversé, qui apportaient la lumière à l'intérieur tout en protégeant les voyageurs des intempéries. Ébloui par la luminosité, je clignai des yeux. Bryce me saisit par le bras, m'entraînant derrière Bell, qui s'était élancé sur le toit. Il longeait la gouttière du côté du marché, avançant vers l'ouest, face au vent. Jetant un coup d'œil par-dessus mon épaule, j'aperçus l'inspecteur Webb qui venait à son tour de pousser la porte donnant sur le toit. Ses quatre acolytes surgirent derrière lui, secoués par des quintes de toux. Webb se lança à nos trousses le long de la bordure, réduisant progressivement la distance qui nous séparait de lui. Voyant cela, Bryce me laissa passer devant lui et fit demi-tour pour aller à la rencontre de nos poursuivants. Sans avertissement, il fondit sur Webb. Les deux hommes s'empoignèrent et roulèrent à l'extrême bord du toit, se colletant comme les vauriens bagarreurs du marché en contrebas, chacun prenant tour à tour l'avantage sur l'autre, dans une lutte confuse et frénétique. Ils se retrouvèrent bientôt dangereusement près du bord, toujours accrochés l'un à l'autre, maintenant farouchement leur prise. Bryce se retrouva pendant un court instant avec une jambe pendue dans le vide, mais il parvint à se rétablir et, se redressant sur les genoux, nous rejoignit en courant. Les comparses de Webb étaient entretemps arrivés à leur hauteur et secoururent leur chef, coincé jusqu'en haut du tibia dans la toiture que son pied avait malencontreusement traversée.

Je vis tout cela du coin de l'œil sans cesser de courir comme un dératé, comme s'il s'agissait de sauver ma peau, m'efforçant de rattraper Bell qui avait encore une courte avance sur moi. Nous nous retrouvâmes bientôt en face de Waverley Bridge. En contrebas, une douzaine de voies ferrées s'engouffraient sous le pont, disparaissant à l'intérieur de la gare. Devant nous, sur l'arche d'un pilier, un groupe de goélands prit son envol. À travers les battements d'ailes, j'aperçus le but de Bell : une échelle reliant le toit de la gare à la rambarde du pont au-dessus de nos têtes. Sans même marquer un temps d'arrêt, il empoigna le premier barreau et grimpa tant bien que mal à l'échelle de fer noir et, comme je pus m'en rendre compte l'instant d'après, plutôt branlante. Les barreaux métalliques tintaient sous les semelles de Bell comme la cloche du tocsin. Des écailles de peinture et de rouille se détachaient, nous obligeant Bryce et moi à tourner la tête pour ne pas les recevoir dans les yeux. Arrivé en haut, Bell passa par-dessus la rambarde pour rejoindre la chaussée du pont, encombrée par l'habituel trafic de charrettes, haquets, voitures et omnibus. En moins de temps qu'il n'en faut pour le dire, nous achevâmes notre ascension et sautâmes à côté de lui sur le trottoir. Webb, ralenti par sa jambe boiteuse, n'avait même pas encore atteint le pied de l'échelle.

– Je crois qu'il serait préférable de nous faire un peu oublier pour l'instant, en disparaissant une bonne heure à l'intérieur de l'université, par exemple. Qu'en dites-vous, Doyle ? Vous connaissez peut-être un endroit où nous pourrions nous réfugier ?

Je pensai les emmener au Rutherford's mais, à cette heure-ci, le bar serait probablement bruyant et bondé d'étudiants aux poches pleines mais au crâne vide, ne songeant qu'à boire leur argent. (Mon éducation catholique ne m'avait pas rendu imperméable à la morale calviniste. Ici, dans la Vieille Enfumée, on l'ingurgitait dès la prime enfance avec le lait maternel.)

Bryce avait hélé un fiacre dans lequel nous nous entassâmes en vitesse. Je dis au cocher de nous conduire dans South Bridge Street, à la fois proche de la maison du Dr Bell et de Drummond Street, pour le cas où nous voudrions quand même aller au Rutherford's. J'avais le visage trempé de sueur. Le front de Bryce ruisselait pareillement après cette folle course-poursuite. Seul Bell, qui à ma connaissance ne faisait pourtant aucun exercice physique, avait l'air frais comme une rose. Sa respiration était calme et régulière, contrairement à Bryce et moi, qui haletions comme des phoques. Bell appuya sa nuque contre le repose-tête du siège et ferma les yeux, comme si jouer aux gendarmes et aux voleurs était l'un de ses passe-temps favoris.

Le trajet ne fut pas bien long. Le fiacre nous conduisit au bout de Cockburn Street, puis roula encore un peu dans Cowgate, non loin de South Bridge. Il y avait suffisamment de monde à l'université pour décourager toute incursion policière. Tandis que la voiture s'arrêtait, faisant crisser les roues sur le pavé, Bell, sans même ouvrir les yeux, demanda à Bryce :

– Qui d'autre, à part Prentice et Hélène André, connaît l'identité de XYZ ?

– Les inspecteurs Weir et Douglas, qui ont recueilli leurs dépositions. Weir est aujourd'hui à la retraite et vit à Gairloch, dont sa famille est originaire. Angus Douglas dirige le petit commissariat de Thurso, près de John o'Groats.

– Comme par hasard, ils sont très loin tous les deux.

– Oui, et ils ne diront rien sans l'autorisation de M'Sween.

– Je m'en doutais. Poursuivez.

– Webb avait accès aux originaux des dépositions. Moi, je n'ai pu voir que des copies, avec le pseudonyme et des lignes d'astérisques là où l'on a censuré certaines déclarations.

– Qui d'autre avait accès aux originaux ?

– Le premier supérieur hiérarchique de Webb, à savoir M'Sween, le commissaire adjoint.

– Et qui encore ?

– Le procureur, sir William Burnham.

– Tiens, tiens ! Ce n'est pas la première fois que nous entendons prononcer ce nom-là, pas vrai, Doyle ? Vous ne trouvez pas cela bizarre ?

J'attendis pour lui répondre que nous soyons descendus de voiture et de nouveau réunis sur le trottoir.

– Eh bien, c'est lui qui dirige l'instruction et qui décide s'il y a lieu ou non d'ouvrir une enquête pour meurtre ; il me semble donc assez normal que son nom soit fréquemment cité dans cette affaire.

– En tant que profane, déclara Bell sans fausse modestie, je m'estime satisfait par votre réponse. Mais qu'en savons-nous, dans le fond ? Autre chose : les procès-verbaux sont-ils habituellement soumis à ce genre de censure, Bryce ?

– Non, docteur, ça, ce n'est pas normal. J'ai pu voir tous les autres documents. Ce sont les seuls à avoir été censurés.

– Tiens donc ! Notre Mr XYZ a dû exiger un traitement de faveur. La presse a fait ses choux gras de la liaison entre Mlle Clery et Mr Eward, mais Mr XYZ, lui, ne saurait être exposé à ce genre d'indélicatesse… On dissimule son nom jusque dans les rapports officiels de police, puis on vous envoie, vous, Bryce, demander au témoin ayant cité ce monsieur de tout oublier !

– Cette histoire sent le roussi, si vous voulez mon avis, dit Bryce.

– Moi, j'ai l'impression que quelqu'un de haut placé cherche à falsifier la vérité, ajoutai-je.

– Je suis d'accord avec vous deux. Nous avons levé un gros lièvre. La question est : et maintenant, que faire ?

18

Bell envoya un câble à l'agence artistique de Tom Prentice à New York depuis le bureau du télégraphe transatlantique de Bank Street. C'était notre dernière chance. Se sentant en sécurité en Amérique, Prentice accepterait peut-être de nous communiquer le nom qu'on l'avait invité à oublier. Mais nous ne pouvions pas nous accorder le luxe d'attendre sa réponse. Bell se mit à bombarder Bryce de questions sur l'inspecteur Webb. Ce dernier connaissait l'identité de XYZ, ce qui le rendait subitement très intéressant pour nos investigations. Le paradoxe de ce retournement de situation n'échappa pas à Bell : nous suivons maintenant la piste de l'homme qui nous poursuivait quelques minutes plus tôt dans la gargote du marché.

– La proie traque son chasseur, marmonna-t-il.

Nous nous tournâmes vers Bryce, qui essayait de se rappeler ce qu'il savait sur le policier.

– Webb est un homme qui est resté dans mon ombre durant ces quinze dernières années. Il a appris mes méthodes. Je n'ai jamais réussi à l'aimer, et ce n'est pourtant pas faute d'avoir essayé. Il refuse de faire usage de la raison dont la nature nous a pourvus. Il réfléchit aux réponses à donner à ses chefs en termes stratégiques : que veulent-ils m'entendre leur dire ? À côté de lui, Uriah Heep[1] passerait vraiment pour un brave type, si vous voyez ce que je veux dire. Robbie Webb est… (il s'interrompit, le temps de réfléchir)… un *bon* policier selon les critères en vigueur. Il est tenace, zélé et malin. Avec lui, l'ordre règne. Mais, comme je disais, il obéit au doigt et à l'œil à ses supérieurs. Si Keir M'Sween lui dit de passer le balai, Webb déniche un balai et s'exécute. Quand le commissaire adjoint veut une information, Webb la lui trouve toujours. Il réussirait à rapporter la preuve que j'ai assassiné Mlle Clery si M'Sween le lui demandait.

– Il s'appelle Robert Webb ? Je sais deux, trois choses sur cet homme, fit Bell. Il est originaire de la région de Dundee, il me semble. Je me souviens de lui, il a servi dans la police locale.

– Oui, il s'appelle Robert Fergus Webb, il est né à Dundee, c'est le fils de l'ivrogne du village. Il s'était juré de réussir et il y est arrivé. Il n'a jamais

1. Personnage sournois de Charles Dickens, dans *David Copperfield*. (NdlT)

oublié ses humbles origines, mais il en garde une profonde amertume.

– S'il essayait de nous arrêter tout à l'heure, au marché, à quelle heure va-t-il finir son service aujourd'hui, Bryce ?

– À moins qu'il n'ait un rendez-vous à l'extérieur ou qu'on lui ait ordonné de faire double service, il devrait terminer à 6 heures. Il habite dans une petite rue derrière Richmond Lane. Son appartement est dans l'un des anciens immeubles.

– Je vais aller lui rendre une petite visite ce soir.

– Vous n'arriverez pas à le faire parler, Dr Bell.

– Lieutenant Bryce, vous ne vous le rappelez peut-être pas, mais lorsque vous nous avez rencontrés la première fois, Doyle et moi, vous nous avez appris bien des choses que vous n'aviez pourtant pas l'intention de nous dire. C'est pour tout le monde pareil. Sauf à s'être fourré un bâillon dans la bouche, il finira bien par me révéler malgré lui quelque chose d'intéressant.

Nous nous séparâmes dans le petit musée, près des antiquités étrusques. Bryce me griffonna l'adresse de Webb dans la marge de son journal.

– Vous ne voulez pas nous accompagner ? s'enquit Bell.

– L'ambiance sera houleuse, Dr Bell, et je n'ai aucune envie d'échanger des bordées avec notre ami Webb. Vous n'avez pas de passé avec cet homme, vous vous en sortirez mieux sans moi.

Sur ces mots, il nous salua d'un signe de tête et

dévala les grandes marches de l'escalier. Avant de nous quitter, Bell et moi convînmes de nous retrouver à 6 heures en un lieu que nous connaissions tous les deux dans une petite rue derrière l'hôtel de ville.

Je me rendis ensuite à pied à la bibliothèque municipale. En entrant dans la salle de lecture, je fus bien ennuyé de découvrir que ma place habituelle était prise. Mais ma contrariété se mua vite en joie quand je reconnus Louise Lambert. Elle feuilletait un atlas sur les lacs d'Afrique centrale, compilant nos dernières découvertes géographiques, ce qui me laissa à penser qu'elle n'était pas là depuis longtemps. Je lui avais dit que je venais souvent ici, et elle m'avait même accompagné une fois à cette même table.

– Miss Lambert ! m'exclamai-je d'une voix surprise.

– Mr Doyle, je vous attendais. J'espère que…

– Je suis ravi de vous voir.

Elle referma son livre, tourna sa chaise et me regarda droit dans les yeux en levant le menton, m'offrant le spectacle exquis de son cou parfait, dont la grâce rappelait les splendides échassiers vivant sur les rives de ces lointains lacs équatoriaux.

– J'ai à vous parler, Conan. Me permettez-vous de vous appeler par votre nom de baptême ?

– Naturellement. Mais allez-y, dites-moi…

– Je ne peux plus continuer à obéir à mon père. L'enjeu est trop gros et le temps presse.

– Oui.

– La dernière fois que nous avons parlé d'Alan, je vous ai répété ce que mon père m'avait demandé de vous dire si jamais je vous voyais. En fille obéissante, je me suis pliée à sa volonté. Je vous ai donc prié de ne plus chercher à aider Alan, de peur que vos démarches bien intentionnées ne gâchent le peu de chances qui nous restaient de sauver mon pauvre frère.

– Oui, je m'en souviens très bien.

– Je vous ai parlé comme on m'avait demandé de le faire. Mais vous ne m'avez pas écoutée. Puis-je vous dire maintenant ce que je pense vraiment ?

Je hochai la tête, retenant mon souffle. Comme elle était belle, la tête ainsi levée vers la lumière qui tombait des fenêtres, caressant son visage.

– Alors, je vous supplie de me croire, Conan, je ne partage absolument pas le point de vue de celui à qui j'ai servi, bien à contrecœur, de messagère.

– Voyons, Louise, n'imaginez pas une seconde que nous ayons pris les désirs de votre père pour les vôtres. Bell avait bien deviné qu'il était derrière tout cela.

Louise resta médusée quelques instants. Puis elle me dévisagea avec attention.

– Vous voulez dire que vous avez éventé mon stratagème ? Suis-je donc si transparente que vous lisiez en moi comme dans un livre ouvert ?

– Non, pas du tout. Nous étions simplement résolus à poursuivre nos investigations coûte que coûte. Les souhaits de votre père n'ont rien changé à nos plans. Nous ne songions qu'à Alan. Si nous pouvons le sauver, nous le ferons.

– Si vous pouvez le sauver, vous devez le faire !

– Oui, il faut que justice soit faite…

– Même si le ciel doit nous tomber sur la tête !

Ce soir-là, à 6 h 10, Bell et moi nous retrouvâmes dans un troquet qui s'appelait *The Last Minst*. Les dernières lettres de l'enseigne s'étaient effacées : malgré la disparition du *« rel »* final, l'hommage à la mémoire de sir Walter Scott restait compréhensible[1]. C'était une petite salle d'encoignure, éclairée par la lueur jaunâtre d'une lampe posée sur le comptoir en bois du bar. La lampe émettait un sifflement désagréable, comme un vrombissement d'insecte. Le patron était crasseux et mal rasé, mais l'établissement offrait une vue imprenable sur l'entrée de l'immeuble où Webb menait son existence solitaire.

Quand j'entrai, Bell m'accueillit avec une nouvelle qui me laissa proprement abasourdi : l'inspecteur Webb lui avait fait porter un message disant qu'il souhaitait lui parler. Bell lui avait retourné un billet lui fixant rendez-vous le lendemain matin, à 8 heures moins le quart, dans une taverne près du marché où nous avions couru sur les toits.

– En ce cas, pourquoi restons-nous ici ? demandai-je.

– Pour espionner Webb, pardi ! Je n'ai aucune-

1. Allusion au poème de sir Walter Scott intitulé *The Lay of the Last Minstrel* (1805). (NdlT)

ment l'intention de le rencontrer demain, même s'il vient seul. Non, nous avons tout intérêt à attendre tranquillement ici.

Nous prîmes une bière, ou plus exactement nous vîmes arriver deux chopes en étain à notre table sans rien avoir demandé. Bell y trempa ses lèvres et fit la grimace. Il reposa bruyamment sa chope sur la table, d'un geste brusque qui signifiait clairement son dégoût. Sans me montrer aussi théâtral, je me rangeai à son avis. Le patron ne sembla pas s'émouvoir outre mesure que nous n'aimions pas sa bière : les compliments comme les injures devaient depuis longtemps le laisser indifférent. Joe commanda une bière plus renommée, qu'on nous apporta promptement. Tout en buvant et discutant de choses et d'autres, nous gardions un œil sur le perron de l'immeuble où vivait Webb. Nous vîmes une femme portant un panier de linge en sortir puis repasser dans l'autre sens une demi-heure plus tard. Entretemps, il y eut nombre d'allées et venues dans l'entrée : un homme en uniforme, enseigne dans la marine ; plusieurs femmes, fardées pour une soirée en ville ; une veuve d'un certain âge voilée de noir, avançant à pas hésitants, appuyée sur son parapluie ; un homme barbu, l'épaule drapée d'un tartan à la manière d'un pasteur de campagne d'antan, originaire du Pertshire selon Bell, qui omit toutefois de m'expliquer à quoi il voyait cela ; et divers autres personnages qui, sans appartenir à la lie de la société, étaient loin d'en former la crème.

Au bout d'une heure, nous nous rendîmes à l'évidence : nous nous étions trompés en supposant que Webb rentrerait directement chez lui après avoir terminé son service. Nous décidâmes d'abandonner notre guet et de partir à sa recherche ailleurs. Trouvant dommage de repartir bredouilles, je proposai à Bell d'aller tout de même jeter un œil dans l'immeuble de Webb, histoire de voir à quoi ressemblait son antre, pour nous faire une meilleure idée du genre de vie qu'il menait. Nous sortîmes du bar et traversâmes la rue, l'immeuble étant juste en face. On accédait aux appartements par un escalier en colimaçon plongé dans le noir, grimpant d'étage en étage à l'intérieur d'une sorte de tour en saillie sur la façade. Bell alluma la loupiote dont il avait pris la précaution de se munir pour dissiper ces ténèbres où la lumière n'avait jamais dû pénétrer. Comme dans tous ces vieux immeubles locatifs, la cage d'escalier était sale, humide et froide. La maison avait grand besoin de travaux et les marches d'un bon coup de balai. Des détritus de toutes sortes jonchaient les dalles du sol, où on les avait simplement laissés moisir ou s'agglomérer à la crasse qui maintenait entre elles les pierres mal équarries.

Nous nous arrêtâmes devant chaque porte, cherchant à identifier l'occupant des lieux. Mais nombre d'entre elles ne portaient aucun nom. À mi-chemin, Bell accosta une jeune femme qui descendait avec un bébé dans un panier. Il s'adressa à elle avec une infinie politesse, comme si elle eût été la Reine de la Nuit en personne :

– Bonsoir, chère madame. Mon ami et moi nous cherchons l'appartement de l'inspecteur de police Webb, qui habite ici, m'a-t-on dit. Auriez-vous la bonté de nous aider ? Nous sommes un peu perdus, voyez-vous, mais vous savez sûrement ce que c'est, puisque vous n'êtes pas d'Édimbourg. Tarbret doit vous sembler bien loin, n'est-ce pas, mon enfant ?

– Comment vous savez que je viens de l'île de Lewis ? Et puis, d'abord, qu'est-ce que vous avez à me poser des questions comme un catéchiste ? C'est pas la peine de m'embrouiller avec vos histoires, j'ai déjà bien assez de problèmes comme ça !

– Vos souliers ont été fabriqués à la campagne, mon enfant. Et la jolie toile de votre blouse a été tissée et même cousue dans une ferme, j'en suis sûr. L'artisanat des Hébrides est reconnaissable entre tous. Même les paniers sont typiques. Vous avez d'ailleurs un bien beau bébé, chère madame.

– L'artisanat des Hébrides ? C'est moi qui l'ai tissée, cette toile, y'a pas trois mois, à Balallan. Vous seriez pas un genre de diseur de bonne aventure, dites ?

– Ah, très chère madame, quel dommage que je n'en sois pas un ! Vous voyez, nous sommes obligés de demander notre chemin, comme tout le monde. Vous le connaissez, cet inspecteur Webb ?

– Si je le connais ? Hélas ! Il arrête pas de venir se plaindre que mon petit Ruaridh braille toute la nuit. Le pauvre gosse est un peu grognon en ce moment, parce qu'il fait ses dents. Votre inspecteur, on dirait qu'il se rappelle pas qu'il a été un enfant un jour ! En plus, il en fait du raffut, lui aussi ! Y'a pas une heure, je l'entendais taper du pied et crier comme un sauvage !

– Si vous l'avez entendu, c'est qu'il est votre voisin immédiat. Et si cette porte est la vôtre, il doit habiter au-dessus ou en dessous, puisqu'il n'y a qu'un appartement par étage ?

– Ça oui, il est juste au-dessus, messieurs. Faut monter au palier suivant. Surtout, lui passez pas le bonjour de ma part, si ça vous dérange pas.

Puis elle repartit avec son panier et son bébé, dévalant l'escalier de son pas léger de toute jeune femme. Nous gravîmes les quelques marches qui nous séparaient du palier suivant. Bell frappa à la porte de son poing ganté et attendit. Pas de réponse. Il recommença.

– Il a dû rester en ville après son service, dis-je tandis que Bell essayait de tourner la poignée. Il avait peut-être un rendez-vous, ou une course à faire. À sa place, je ne serais pas très pressé de rentrer chez moi, à moins d'y être obligé. Cet immeuble…

Je ne finis pas ma phrase, car la porte venait de s'ouvrir sous la poussée de Bell.

Pas de doute, nous étions bien chez Webb. Un vieil uniforme était accroché à une patère près de la fenêtre donnant sur la rue et l'entrée de l'immeuble que nous avions surveillée. Apparemment, Webb se préparait souvent à manger dans cette pièce. Il devait faire monter l'eau par l'escalier et la jeter après usage par la fenêtre en criant l'habituel « gare à l'eau ! » à l'intention des passants. Ce n'était manifestement pas un homme très à cheval sur la propreté : les taches graisseuses sur le mur laissaient imaginer l'état de ses cols, de ses poignets de chemise ou de ses bottes. Le poêle était franchement dégoûtant et le sol tout autour jonché de débris de nourriture, permettant de deviner quels avaient été les derniers repas de l'occupant des lieux.

– Il vaudrait peut-être mieux revenir une autre fois, murmurai-je.

Déjà, dans l'escalier, j'avais eu l'impression d'entendre mes ancêtres calvinistes inexistants me faire la morale.

– Nous avons trouvé la porte ouverte, Doyle. Nous jetons simplement un coup d'œil pour vérifier qu'on ne lui a rien volé. Regardez donc dans ces tiroirs si des objets de valeur n'auraient pas disparu.

Bell entra dans l'autre pièce, où un lit au sommier de cuivre occupait presque tout l'espace. La toile usée du matelas confirmait, si besoin était, la négligence de Webb quant à la tenue de son intérieur. Je me fis très mal en voulant regarder sous le lit : je m'étais agenouillé sur un parapluie noir abandonné par terre. Comme il fallait s'y attendre, le sol était couvert de moutons, et je n'y trouvai qu'une vieille chaussette. Grimaçant de douleur, je jetai le parapluie sur le lit et me frottai le genou. Cela me servirait de leçon ! À côté de la table de chevet, il y avait un appareil photographique Thornton-Picard posé sur son trépied. Détail étrange, une fausse lentille avait été fixée sur l'avant de l'appareil : le véritable objectif se trouvait en fait sur ce qui donnait l'impression d'être le côté gauche du boîtier, où il pouvait passer pour le bouton de réglage de l'obturateur à rideau. J'imaginai qu'en ouvrant l'appareil, on découvrirait un jeu de miroirs à l'intérieur. Sur une table, une série de daguerréotypes était empilée. Bell prit l'une des plaques et l'inclina dans la lumière de sa loupiote pour l'examiner.

– Coucou Doyle ! s'exclama-t-il. Regardez ce joli portrait de vous devant le palais de Justice !

Veillant à tenir la plaque par les bords, il me la tendit. Je l'inclinai à mon tour dans la lumière et, après quelques changements d'angle, je finis par me reconnaître sur le négatif, sortant de l'une des audiences du tribunal.

– Intéressant, fit Bell. Très intéressant.

Je reposai la plaque à sa place et haussai un sourcil interrogateur vers mon ami.

– Pourquoi est-ce si intéressant ?

– Plus le temps passe, plus cette affaire devient fascinante, dit-il. Ce cliché vous représentant, par exemple, nous pouvons le dater assez précisément.

– Oui, bien sûr. C'était au moment du procès, soit environ huit jours après que nous avons accepté d'aider Lambert.

– Exactement ! C'est-à-dire que nous n'avions

pas encore interrogé le prêteur sur gages ; cette photographie de vous a été prise bien avant notre voyage à Liverpool !

– J'y suis ! La police ne pouvait donc pas encore savoir que nous enquêtions sur l'affaire Lambert.

– Eh oui ! C'est bizarre, vous ne trouvez pas ? Quelqu'un, dans l'entourage de Lambert, a dû demander à la police de nous surveiller. Nous avons eu tort de nous croire invisibles. Dès le début, alors que nous ne faisions que tâter le terrain, nous étions déjà mouillés jusqu'au cou dans cette affaire.

– Mais qui serait allé parler de nous à la police ? Alan et Graeme sont au-dessus de tout soupçon. Et je me porte garant de Louise.

– Naturellement, fit Bell en souriant. Alors qui reste-t-il ? Qui a déjà voulu nous dissuader de poursuivre nos investigations ?

– Le vieux Lambert ! *Le père !*

– Précisément. Depuis le début, il a agi contre l'intérêt de son fils. Enfin, pas tout à fait : il a voulu nous faire abandonner notre enquête, il est vrai, mais peut-être croyait-il sincèrement que nous risquions de compromettre les chances d'Alan. Quelqu'un lui a peut-être fait des promesses, prétendant pouvoir arranger les choses d'une tout autre manière. Promesses reposant sur la condition suivante : que lui et sa famille ne se mêlent de rien et ne prennent aucune initiative personnelle.

– Présenté ainsi, cela paraît plausible. Mais que faire, alors ?

– J'ai bien ma petite idée, Doyle. Mais sortons d'abord de ce trou à rats.

Avant de quitter l'appartement, nous furetâmes encore dans les tiroirs et recoins que nous avions omis d'explorer. Je trouvai un roman de gare, que je feuilletai rapidement. À l'intérieur, en face d'une illustration criarde représentant les derniers instants de Sweeney Todd[1], le coiffeur sanguinaire, je tombai sur un bout de papier glissé entre les pages, portant l'inscription suivante :

VOIR PAGE 120 DU LIVRE ET DOCUMENT JOINT

– Bon sang ! Mais qu'est-ce que…, commençai-je.

Bell m'arracha le message des mains et l'éclaira avec sa lampe.

– Papier de bonne qualité. Avec un filigrane. L'auteur de ces lignes a donc les moyens. Ces symboles… ça me dit quelque chose. Où donc les ai-je déjà vus ? Je devais faire des recherches sur autre chose, il me semble. Oui, avec un petit effort de mémoire, je devrais pouvoir retrouver cela.

Il recopia rapidement le message, glissa le croquis dans sa poche et replaça l'original entre les pages, en face de la gravure de Sweeney Todd à l'agonie.

Après quoi, nous nous décidâmes enfin à partir. Mais sur le seuil, Bell se figea brusquement. Sans mot dire, il fit demi-tour et retourna à l'intérieur.

– Cette saillie dans le mur de la chambre près de

---

1. Personnage d'une pièce de George Dibdin Pitt (1799-1855) : ce coiffeur assassinait ses clients. (NdlT)

la fenêtre n'est pas normale, Doyle. Elle devrait correspondre à un élément d'architecture extérieur, or je n'ai rien remarqué tout à l'heure en examinant la façade. Venez me donner un coup de main !

Je fis le tour du lit pour aller examiner l'étrange saillie. Maintenant que Bell avait attiré mon attention dessus, je remarquai en effet l'asymétrie du mur, de part et d'autre de la fenêtre. En réalité, il s'agissait d'un placard dissimulé derrière un panneau. Nous trouvâmes facilement l'interstice qui nous permit de l'ouvrir. Ce petit réduit sombre contenait toutes sortes de vieux vêtements, des haillons pour la plupart.

– Je vous parie qu'il se déguise avec pour ses filatures, me dit Bell.

Il aperçut alors quelque chose dans le tas de guenilles qui le pétrifia pendant quelques secondes. Étant plus près du placard que moi, il pouvait voir jusqu'au fond.

– Je dois corriger mon propos, Doyle. Webb *gardait* ici les vêtements avec lesquels il se *déguisait*. Je n'employais pas la bonne conjugaison. L'imparfait est le temps qu'il faudra désormais utiliser pour parler de l'inspecteur Webb. Car Webb n'est plus. Il a vécu, comme disent les auteurs classiques.

Je rapprochai ma tête de l'ouverture et restai médusé à mon tour. Bell venait de faire une incroyable découverte. Il avait retrouvé l'inspecteur. Webb n'était plus, comme disait mon ami. Il n'était plus qu'un cadavre.

19

Une fois de plus, nous étions assis dans le salon du Dr Bell, à la place qui commençait à nous devenir habituelle, devant la cheminée. Mon ami curait sa pipe en bois de merisier, et moi, je dodelinais de la tête après le copieux repas que nous avait servi Mrs Murchie, une tourte à la viande et aux rognons suivie d'un plat de mouton. Peut-être avais-je aussi un peu trop bu de cet excellent porto offert par mon hôte : un Colborne 64, si je me souviens bien.

Nous étions rentrés après avoir découvert le corps de Webb. La fouille de ses poches ne nous avait rien appris de plus. L'homme avait été étranglé avec un long lacet de cuir resté incrusté dans la chair de son cou. Fort de mon modeste savoir médical, j'avais estimé que la mort ne remontait pas à plus de deux heures. La couleur de la peau et la température du corps ne s'étaient pas tellement altérées. D'après Bell, le décès était encore plus récent. En l'espèce, je préférais m'en remettre à son expérience. Il avait fait bouger de bas en haut la mâchoire inférieure du mort, donnant à ses traits une expression presque comique, et attiré mon attention sur le fait qu'on ne décelait encore ni rigidité ni pâleur. Les yeux, malgré leur fixité, avait gardé l'éclat de la vie. Bell me rappela aussi les propos de la fille croisée dans l'escalier : Webb faisait du bruit chez lui environ une heure avant notre visite.

Nous avions laissé l'appartement en l'état et Webb au fond de son placard. Quelqu'un finirait bien par le trouver dans ce trou nauséabond mais, d'ici là, cette macabre découverte nous donnait une longueur d'avance, que nous avions tout intérêt à conserver le plus longtemps possible. Nous en avions discuté pendant le dîner.

– Vous savez, Joe, cela ne me plaît pas tellement d'avoir laissé Webb là-bas.

Je repoussai un os sur le bord de mon assiette, revoyant en pensée le cadavre de l'inspecteur.

– Moi non plus, Conan. Mais nous n'avons pas vraiment le choix. Il disait vouloir me parler, mais c'était peut-être un piège. Rappelez-vous la gargote du marché… il est venu nous chercher avec quatre hommes. Ses collègues de la police ne tarderont pas à reprendre la chasse quand ils sauront ce qu'il est devenu. Cette manœuvre nous permet donc de gagner quelques précieuses heures. En attendant, feu l'inspecteur Webb ne subit aucun outrage. Alors, ressaisissez-vous, Doyle. Nous devons faire preuve de sens pratique ! Votre genou vous fait-il encore mal ? s'enquit-il, en inclinant la tête sur le côté. J'ai remarqué que vous boitiez un peu en venant à table.

– Ce n'est rien. C'est à cause de ce parapluie sur lequel je me suis agenouillé dans l'appartement de Bell. Ça me lance un peu, sans plus.

– Mais bien sûr ! s'exclama Bell en reposant sa fourchette et son couteau dans son assiette. Le parapluie !

– Oui, fis-je. Qu'a-t-il de spécial, ce parapluie ?

– C'est un indice. Il a été oublié par l'assassin de Webb.

– Quoi ?

– Mais oui. Vous vous rappelez la veuve voilée que nous avons vue passer pendant que nous faisions le guet ? Elle est entrée dans l'immeuble avec son parapluie et en est ressortie sans.

– Cette vieille dame aurait tué l'inspecteur Webb ? J'ai peine à le croire.

– Cette femme n'en était pas une, Conan. C'était un homme déguisé. Vous vous rappelez comme elle était grande ? Et elle se servait du parapluie comme d'une canne.

Nous sortîmes de table, interrompant là notre conversation. Nous la reprîmes au coin du feu, quand Bell eut fini de curer sa pipe avec un canif.

– Vous savez, Doyle, je soupçonne le père du condamné d'en savoir plus long qu'il ne veut bien le dire. Êtes-vous de mon avis ?

– Ce que nous avons découvert dans l'appartement de Webb semble le confirmer. Lambert père a certainement signalé nos activités à l'inspecteur.

– Mr Lambert est un homme si respectueux des convenances qu'il a dû paniquer quand on lui a reproché de vouloir s'immiscer dans les affaires de la justice. Le gredin qui l'oblige à se plier à ses exigences a probablement pris peur en apprenant nos investigations. Il a pareillement dû se méfier de Webb, qui savait beaucoup de choses et pouvait représenter une menace ; nous avons vu comment celui-ci a été récompensé. Lambert a tenté de nous décourager en faisant pression sur nous, par l'intermédiaire de sa charmante fille, parce que lui-même a sûrement subi des pressions. De la part de quelqu'un possédant un certain pouvoir, à n'en pas douter.

– Ne devrions-nous pas aller lui parler ? Je suis sûr qu'il veut sauver son fils de la corde.

– Assurément. Mais cela m'étonnerait qu'il nous révèle d'où viennent ces pressions. Tout au plus réussirons-nous à obtenir de vagues allusions.

– Cela nous aiderait peut-être à savoir de quel côté chercher.

– Si nous attaquons de front, nous allons alerter l'ennemi. Non, quitte à solliciter Mr Lambert père, employons des moyens détournés. Je crois que j'ai une idée. Voulez-vous m'apporter le papier à lettres qui se trouve sur le bureau derrière vous, s'il vous plaît ?

Dans cette liasse de feuilles vierges de formes et de tailles variées, Bell en choisit une en demi-format, ornée des armoiries de la ville dans la marge supérieure. Puis, après s'être accordé un très bref instant de réflexion, il y griffonna à la hâte les mots suivants :

Bell commence à devenir trop curieux. Voyons-nous ce soir, ici, à 18 h 30. Je ne puis en dire plus pour l'instant.

Bell signa d'un gribouillis qui pouvait passer pour n'importe quelle lettre de l'alphabet. Il glissa ensuite le message dans une enveloppe et y colla un timbre. Il ajouta l'adresse après avoir rapidement consulté l'annuaire de la ville.

– En rentrant chez vous, jetez cette enveloppe dans la boîte aux lettres la plus proche du palais de Justice. J'insiste sur ce point, car j'ai un peu peur que vous ne vouliez la remettre en main propre à son destinataire, dans l'espoir de revoir la jolie miss Lambert.

Je protestai farouchement et ris avec lui de bon cœur.

– Lambert *père* la recevra demain matin, poursuivit Bell. En fin de journée, peu après 18 heures, nous irons nous poster devant chez lui, et nous le suivrons en fiacre.

– Je ne vais pas réussir à fermer l'œil de la nuit, dis-je.

– En ce cas, mon garçon, vous feriez bien de réviser votre histologie. Si l'idée de passer une nuit blanche à travailler ne vous effraie pas, vous finirez bien par tomber de fatigue sur votre microscope.

Je revis Bell le lendemain matin, à l'université, où je parvins à faire bonne impression pendant le cours d'histologie. Je le rejoignis un peu plus tard, en fin de journée, dans la rue où se trouvait la maison des Lambert. Conformément à ses instructions, j'étais allé l'attendre à l'heure dite à l'angle de Waterloo Place et Leith Street. Il était déjà là, dans un fiacre, impatient de filer notre proie, les yeux brillants d'excitation. J'étais bien content de ne pas avoir à monter à pied en haut de Carlton Hill. La côte était raide et il faisait froid. Bien emmitouflés, blottis au fond de notre fiacre, nous arrivâmes rapidement à destination. Nous nous plaçâmes de façon à avoir une vue imprenable sur la porte d'entrée de Lambert. Je ne pouvais m'empêcher de songer à l'autre porte que nous avions surveillée moins de vingt-quatre heures plus tôt, au fond de notre tripot. Le souvenir de notre macabre découverte me fit frissonner : je me remémorai le visage du mort, ses cheveux noirs et bouclés, ses yeux fixes, son corps inanimé gisant au fond du placard, où il devait encore se trouver.

La maison de Lambert était une impressionnante bâtisse tout en hauteur, qui se distinguait de ses voisines par la profusion de lierre recouvrant ses murs. J'en fis la remarque à Bell, qui opina. Ce lierre, m'apprit-il, était une espèce grimpante de Virginie, importée d'Amérique et implantée avec succès en Écosse. Quant à savoir comment il pouvait identifier une variété de lierre dans le noir, c'était encore un de ces mystères dont mon ami avait le secret.

Bien à l'abri dans notre fiacre, nous sentions malgré tout la fraîcheur de la nuit. Nos pardessus boutonnés jusqu'au menton, un plaid jeté sur les épaules, nous restâmes aux aguets, surveillant chacune des ombres qui bougeait ou nous paraissait bouger dans la rue. Au bout d'une dizaine de minutes, nous vîmes un homme sortir de la maison et s'éloigner à pas pressés en direction de Canonmill. Il portait un long manteau noir qui ne laissait voir que le bout verni de ses bottes et un chapeau démodé en poils de castor, posé de travers sur sa tête. Un cache-nez de laine grise dissimulait ses traits. Bell ordonna au cocher de le suivre, mais pas de trop près. Lambert marchait d'un bon pas. Il était encore fort alerte, pour un homme de son âge – on apercevait ses favoris gris quand il passait sous un lampadaire. Sans jeter un seul regard autour de lui, il suivit les rues qui montaient vers le haut de la butte. Il ne s'arrêta qu'une fois, pour jeter un œil sur un bout de papier sorti de sa poche. Le quartier lui était familier, mais apparemment il ne connaissait pas l'adresse exacte de sa destination. Notre fiacre s'immobilisa à son tour. Lambert repartit, longeant Howard Place, où il bifurqua brusquement dans l'allée conduisant au numéro 8, une bâtisse georgienne de couleur sombre, avec vue sur la ville nouvelle.

– Ce n'est pas le genre d'endroit où se terrent habituellement les malfrats, dis-je, rompant le silence qui durait depuis près d'un quart d'heure.

Bell, ignorant ma remarque, me tendit sa loupiote

pour feuilleter les pages de l'annuaire qu'il avait emporté avec lui. Il referma le Bottin en poussant un petit sifflement.

– Qu'avez-vous trouvé ? demandai-je.

– Voilà qui confirme mes soupçons, murmura-t-il. Du moins dans les grandes lignes. Mais j'étais loin d'imaginer que la piste nous conduirait ici.

– Je devine que des gens riches et puissants vivent derrière ces murs et ces fenêtres, mais que savez-vous d'autre, docteur ?

– Nous sommes devant l'humble demeure de sir William Burnham, avocat de la Couronne, chevalier de la Légion d'honneur et procureur du comté de Midlothian !

– Ce n'est pas possible ! glapis-je d'une voix étranglée. S'il est un homme au-dessus de tout soupçon, c'est bien lui.

– Aucun homme, ni aucune femme, n'est au-dessus de tout soupçon, mon garçon. Voilà qui expliquerait ces mesures de rétorsion bien orchestrées dont nous avons fait les frais : ma petite discussion avec le doyen de l'université, votre culbute dans le caniveau près de Cowgate, sans parler de cet homme tapi dans la haie du musée en face de chez moi.

Sur le chemin du retour, je ne songeais plus qu'à notre ennemi : sir William Burnham. Que savais-je de lui ? Pas grand-chose, et pourtant, son nom m'était si familier que j'avais l'impression de le connaître depuis toujours. Je me remémorai son visage rose, au premier jour du procès de Lambert. Sir William faisait partie du paysage, comme le château surplombant Grassmarket ; il semblait aussi indestructible que lui. Son nom apparaissait souvent dans les journaux, en général dans le cadre de grands événements liés à la vie de la cité. La plupart de ses faits et gestes étaient consignés dans la rubrique justice. Il était la clé de voûte de cette institution qui, sous des dehors respectables, était intérieurement rongée par la corruption, d'après Stevenson. Celui-ci m'avait dépeint la ville comme une bauge, un cloaque puant, gouverné par des vampires. Si je me rangeais à son point de vue, il me fallait admettre que sir William avait certainement trempé, d'une manière ou d'une autre, dans cette corruption généralisée.

J'avais aussi vu le splendide domaine de Burnham dans le Fifeshire. Un été, il y a quelques années, à l'occasion d'une promenade en famille, nous étions passés devant. Nous avions entendu des coups de feu dans la futaie et aperçu plusieurs rabatteurs s'en retourner chez eux à la fin de la journée.

Tandis que je réfléchissais tranquillement, Bell, lui, trépignait sur son siège. Je lui demandai ce qu'il avait prévu de faire ensuite. Il se contenta de sourire.

– Cet espion qui se cache derrière la haie en face de chez moi vous inquiète-t-il toujours autant ? s'enquit-il.

Je reconnus que c'était là un souci dont je me serais volontiers passé.

– Je crois avoir trouvé le moyen de déloger ce pot de colle, Doyle. Prêtez-moi votre chapeau.

– Mon chapeau ? Mais que voulez-vous… ?

Bell posa son index sur mes lèvres et hocha la tête d'un air confiant. Il rajusta ses vêtements, lissa ses cheveux en bataille, les ramenant sur le sommet de son crâne dégarni, où il les fixa avec un peu de salive. Une fois coiffé de mon chapeau, cela lui faisait une frange, et son apparence s'en trouvait complètement modifiée. Il déchira son mouchoir en deux et en fourra les morceaux roulés en boule dans sa bouche, à l'intérieur de ses joues. Sous mes yeux ébahis, il essaya plusieurs mimiques devant son petit miroir de poche, reflétant des émotions diverses adaptées à toute une gamme de situations.

– Seriez-vous en train de répéter une pièce de théâtre amateur, docteur ?

– Je n'apprécie guère le mot « amateur » dans ce contexte, Doyle. Je me flatte d'être doué pour le travestissement. Je me suis souvent amusé à modifier mon apparence, à l'occasion du défilé de l'université, lors de la cérémonie de remise des diplômes en juin. Tout le monde n'y voit que du feu. Mais j'étais loin de me douter que ce petit talent pourrait me rendre service un jour.

– Je suppose que cette mascarade est destinée à l'homme qui espionne votre maison.

– Bravo ! Vous commencez à comprendre l'intérêt de ce petit jeu. Comment se fait-il que je n'y aie pas songé plus tôt ?

– Vous voulez dire que si Graeme Lambert n'était

pas venu vous voir, vous n'auriez jamais pensé à exploiter cette facette de votre personnalité ?

– Jamais ? N'exagérons rien, Doyle. Je n'aurais pas pu me retenir bien longtemps. Et puis, ce n'est pas la première fois. Je vous parlerai un jour de la curieuse affaire du télescope de Dean.

Le fiacre venait de traverser le pont George-IV. Bell cogna au plafond pour signaler au cocher que nous voulions nous arrêter. Nous descendîmes dans la rue lugubre, presque vide. Bell puisa quelques pièces dans sa bourse pour payer la course et nous poursuivîmes notre chemin à pied, soufflant des nuages de vapeur dans l'air glacé de la nuit. Quand la maison fut en vue, Bell me poussa dans l'ombre d'un porche de la façade du musée.

– Chut ! me fit-il, l'index contre ses lèvres, avant de s'élancer, seul, dans la rue.

Il avait modifié sa démarche et, même si je sais que cela peut paraître absurde, sa taille aussi semblait avoir changé : il avançait avec l'allure bravache d'un militaire à la retraite ou d'un soldat en demi-solde. Retenant mon souffle, je le suivis du regard. Il se dirigeait droit vers l'ombre tapie en face des fenêtres éclairées de son appartement. L'homme sortit de sa cachette, puis leurs deux silhouettes disparurent dans la nuit noire.

La lumière tombant des fenêtres de Bell projetait des ombres oblongues et tordues sur le pavé, qui me firent machinalement lever les yeux. Il me sembla bien remarquer quelque chose de bizarre, mais mon cerveau mit quelques minutes à décoder l'information transmise par mes yeux. Ayant mieux regardé, je faillis bien pousser un cri : le Dr Joseph Bell en personne était assis à la fenêtre ! Son ombre se découpait nettement sur le rideau tiré devant la vitre. Je tournai la tête vers l'endroit où j'avais vu mon ami pour la dernière fois, mais je ne distinguai rien dans l'obscurité. La nuit était uniformément noire. Au premier étage, Joe Bell semblait penché sur un livre. Je m'apprêtais à désobéir à ses instructions pour me précipiter à sa porte, quand une silhouette émergea des ténèbres. C'était l'espion. Je m'aplatis dans ma cachette, dos à la porte du porche. L'homme passa à moins d'un mètre de moi, poursuivit son chemin jusqu'au bout de la rue et disparut de ma vue. Peu après, Bell surgit à son tour, me faisant signe de le rejoindre. Il traversa la rue et m'attendit sur le pas de sa porte. Incapable de détacher mes yeux de l'ombre chinoise à la fenêtre, je mis un peu de temps à venir auprès de mon ami, médusé de le voir tranquillement assis chez lui alors qu'il était avec moi, en bas, cherchant son trousseau de clés au fond de sa poche.

20

Une fois chez Bell, le mystère s'éclaircit bien vite. Sur un guéridon, rehaussé au moyen de plusieurs gros ouvrages médicaux empilés sous les pieds, était posée une tête phrénologique de Fowler, dont la forme avait été modifiée par des emplâtres en papier mâché.

– Entrez donc, Doyle, que je vous présente le Dr Joseph Bell. Il est réussi, vous ne trouvez pas ? J'ai transformé la forme du nez et du menton, ainsi que celle du crâne pour créer une illusion de cheveux. Comme vous voyez, une tête de Fowler peut rendre bien des services.

J'examinai l'objet plus attentivement. Sur la tête, il y avait l'habituel tracé délimitant les différentes zones du cortex cérébral, rappelant la carte politique des cantons suisses. Divers éléments en carton-pâte avaient été modelés par-dessus, comme je le disais plus tôt, de manière à reconstituer les traits de Bell.

Une lampe, placée juste derrière, projetait la tête en ombre chinoise sur le rideau, comme nous le faisions, enfants, avec des silhouettes découpées pour nous distraire les jours de pluie.

– Ingénieux, mais simple, fit Bell en déplaçant de quelques centimètres la tête sur le guéridon, de façon à modifier légèrement la forme de l'ombre projetée.

– À présent, je comprends mieux votre mystérieux don d'ubiquité, docteur. Mais j'aimerais bien savoir ce que vous avez raconté à notre espion pour qu'il se décide enfin à quitter son poste.

– Oh, le froid aidant, il ne m'a pas été difficile de le convaincre de rentrer chez lui.

– Et il a accepté de s'en aller, comme ça, sans autorisation ?

– Ma foi, il a estimé qu'il pouvait se passer d'autorisation avec la jolie commission que je lui ai donnée.

– Une commission ?

– Dites-moi, Doyle, y a-t-il un écho ici, ou bien est-ce vous qui devenez sourd ?

Je dus devenir rouge comme une pivoine, car je me sentis tout à coup comprimé par le col de ma chemise, comme s'il faisait une taille de moins. Mais j'eus tôt fait d'oublier la réplique moqueuse de Bell car le repas arriva, monté par sa logeuse qu'il venait de sonner. Mon ami et moi nous empressâmes de débarrasser la table des livres et papiers qui l'encombraient afin que Mrs Murchie pût y déposer ses plateaux.

Pendant que nous mangions notre soupe, Bell m'annonça, peut-être pour me changer les idées, qu'il avait eu ce matin des nouvelles de George Budd, qui s'était enfui à Plymouth : il avait épousé la jeune fille que j'avais vue et était en train d'ouvrir son cabinet médical là-bas, sur la côte sud.

– C'est un excentrique assez brillant, dans son genre, ajouta mon ami. Mais je ne vous cache pas que je suis soulagé de le savoir au loin. C'est l'être humain le plus insensible que j'aie jamais rencontré. S'il vous écrase les orteils avec ses bottes, il estime que ce n'est pas à lui, mais à vous de vous excuser ! Il fera une carrière médicale spectaculaire, je pense, mais ce ne sera pas grâce à ses compétences professionnelles. Il manque trop de patience pour attirer une nombreuse clientèle. Mais il saura se faire de la publicité avec ses remèdes de charlatan. Ce qui est plus grave, c'est qu'il a commencé à prendre de la cocaïne. Je l'ai deviné en voyant ses yeux. Il n'a jamais dépassé les bornes avec moi, son professeur. Pourtant, c'est quelqu'un dont je me méfie. Il ne m'a jamais inspiré confiance. Il y a une fibre méchante, vindicative, en lui. Et vous savez comme il peut être arrogant.

– Pauvre fille, dis-je.

– Appelez-la *Mrs* George Turnavine Budd, mon ami. Ce n'est plus une pauvre fille pupille de la nation, à moins que les autorités ne découvrent le pot aux roses.

Quand nous passâmes au poisson, Bell disséqua la tête du sien pour se livrer à une leçon impromptue sur les principes d'asymétrie :

– Chez les poissons plats, ainsi que Huxley l'a magistralement démontré, la déformation du crâne est telle que les deux yeux ont fini par se retrouver du même côté du corps. Regardez bien votre plie. Famille des pleuronectidés. Chez certains de ces poissons, Doyle, le crâne et les cartilages faciaux – vous les voyez, là, sous ma fourchette – ainsi que les arêtes dorsale et transversales, présentent la même asymétrie. Comment trouvez-vous votre poisson ? Est-il bon ?

– Il est en train de refroidir.

– Alors, mangez ! Mangez donc, mon garçon ! Il serait dommage de laisser perdre une si belle plie. Parlez-moi un peu de votre vocation de médecin : tout petit, déjà, vous rêviez de faire ce métier ?

Nous parlâmes donc de mes ambitions tout en finissant le poisson, après quoi nous attaquâmes la bécasse rôtie, accompagnée de pommes de terre à l'eau et de légumes verts. Je lui confiai que j'avais écrit quelques chroniques et nouvelles qui m'avaient déjà valu un petit succès. Quand nous eûmes englouti nos tartelettes aux pommes chaudes, Bell s'essuya le menton et reprit la parole :

– Donc vous ne vous voyez pas percer des furoncles pendant cinquante ans alors que vous pourriez plutôt écrire des histoires. Quel genre d'histoires, mon garçon ?

– Je suis fasciné par les romans de chevalerie. Et les guerres napoléoniennes. La révolte de Monmouth. Que ne donnerais-je pour avoir vécu tout cela !

– Des guerres, il s'en présentera toujours partout dans le monde. Ne les appelez pas trop fort de vos vœux. Vous avez manqué de peu la Crimée et la Chine. Peut-être vous plaira-t-il de rejoindre les troupes du général Gordon pour lutter contre le commerce des esclaves au Soudan, en Abyssinie et en Afrique centrale. L'Empire vit des temps héroïques, Doyle. Ouvrez donc les yeux. La France panse ses plaies, les Allemands se rengorgent de leur victoire, l'Amérique se remet péniblement de ses querelles intestines : c'est le moment ou jamais pour la Russie d'assouvir ses ambitions à l'Est. Et partout notre empire est en travers de son chemin. Disraeli le sait. C'est pourquoi il essaye de convaincre Ismaïl Pacha de lui céder le canal de Suez. Croyez-moi, la réalité est suffisamment riche pour vous donner matière à écrire des années durant.

– J'aimerais raconter le Soulèvement de 1745. C'est notre histoire. Qui va l'écrire, maintenant que Scott est mort ?

– Quand je pense à ce mémorial qu'on lui a érigé sur Princes Street, avec cette immense flèche pointée vers le ciel ! Il y a bien votre ami, le jeune Stevenson ; il est tout comme vous ! Mais y a-t-il de la place pour vous deux ? Dieu seul le sait. Vous ferait-il de l'ombre ?

– Nous voulons tous les deux écrire, docteur. Peut-être réussirons-nous à vivre de notre plume, l'un comme l'autre. Nous verrons bien. Pour ma part, le bistouri m'aidera peut-être à trouver l'inspiration. Je ne sais pas ce que l'avenir me réserve. Mais je suis résolu à aller jusqu'au bout de ce que j'ai déjà commencé.

– Bien ! Est-ce que vous aimeriez fumer un cigare ?

– Volontiers. Mais n'allez pas vous imaginer que j'ai déjà oublié notre espion. Je voudrais bien savoir ce que vous lui avez dit pour le faire décamper.

– Ah ! oui… Pas grand-chose, en vérité. Je lui ai juste dit qu'il ferait peut-être bien de prévenir le commissaire adjoint que Scotland Yard s'intéresse à cette affaire et enverra probablement un de ses détectives à Édimbourg.

– Fantastique ! Et c'est vrai ?

– Bien sûr que non, Doyle. Mais il ne le sait pas.

21

Je me mis en devoir de chercher tout ce que je pouvais trouver sur sir William Burnham à la bibliothèque municipale. Les Burnham étaient une ancienne et grande famille. Pas de souche écossaise mais, comme tant d'autres rejetons de la « Vieille Ennemie », ils avaient mangé du *haggis* [1] et fini par y prendre goût. Un Burnham avait inventé une serrure à air comprimé, un autre était un héros de la bataille de Balaklava. Un troisième, pasteur baptiste, à force de se jeter contre le rocher du presbytère, avait dû se retirer à Bournemouth, impotent et gâteux, à l'âge de trente-cinq ans. Un Burnham s'était allié à Montrose, un autre avait participé au « nettoyage » des Highlands. Nombre de Burnham s'étaient illustrés au sein du gouvernement local : il y avait un shérif

1. Plat traditionnel écossais ; panse de mouton farcie d'un hachis d'abats et d'avoine. (NdlT)

dans le Staffordshire, un bailli dans le Worcestershire, etc. On vit aussi des Burnham notaires et avocats siéger aux conseils municipaux. Au siècle dernier, un lord maire du nom de Burnham « gouverna » même Édimbourg pendant quelque temps. Évidemment, cela ne dura pas. Rien ne dure en ce bas monde. Mais on retrouvait encore plusieurs Burnham à de hautes fonctions vingt ans plus tôt. Sir William, en tant que procureur, était un homme très puissant.

Le domaine du Fifeshire, dont le souvenir m'était revenu dans le fiacre avant que Bell ne m'ait distrait de mes pensées avec son déguisement, devenait pour moi le symbole de cet homme aperçu à l'ouverture du procès de Lambert. Mais, subitement, je pris conscience de l'absurdité de mes recherches. Cette quête hasardeuse était parfaitement ridicule, stupide : non seulement je perdais mon temps, mais je gaspillais celui d'Alan Lambert, plus précieux encore. En science, on apprend à écarter les propositions absurdes. Et à ne comparer que des données de même nature. Pourquoi un puissant magistrat s'amuserait-il à persécuter ce jeune homme qui n'avait rien fait de mal ? Dans quel but ? Ils n'étaient pas du même monde. Quel lien Burnham pouvait-il avoir avec Mlle Clery, hormis le fait qu'il avait peut-être loué une baignoire à l'opéra pour la voir chanter ? Peut-être s'étaient-ils rencontrés à une réception. Elle était la coqueluche de la ville et c'était une femme très séduisante. Avaient-ils eu une liaison ?

À Édimbourg plus qu'ailleurs, la main droite a tendance à ignorer ce que fait la gauche… Mais aurait-il pu empêcher les ragots ?

Je devais me renseigner. Mon fragile édifice de suppositions menaçait de s'écrouler si je ne l'étayais pas rapidement avec du concret, du solide. Ou, faute de mieux, avec des témoignages dignes de foi. Quels éléments pouvais-je déjà tenir pour certains ? Mlle Clery accordait déjà ses faveurs à un homme : le malheureux qui avait partagé son sort. Était-il vraisemblable que le procureur partageât sa maîtresse avec un obscur petit employé des Travaux publics ? J'essayai d'imaginer mon pauvre père, du temps où sa santé était plus robuste, se disputant les faveurs d'une Hermione Clery avec un haut fonctionnaire. Non, je n'y arrivais décidément pas.

D'ailleurs, j'avais tout autant de mal à imaginer un dignitaire du royaume succombant à une folle passion… L'histoire de l'Écosse était pourtant riche de précédents. Et l'histoire en général regorgeait d'anecdotes du même genre. Ce n'était pas parce qu'une chose me paraissait absurde qu'elle l'était forcément.

Louise Lambert était assise à ma place habituelle quand j'arrivai dans la salle de lecture avec ma sacoche de livres et de documents. Écarquillant les yeux, elle me regarda approcher.

– Quoi de neuf ? murmura-t-elle en me prenant les mains.

– Il y a tellement à dire et à faire que je n'ai pas

le temps de tout vous raconter maintenant. Avez-vous mangé ?

– J'ai prévu de déjeuner avec quelqu'un d'autre, me répondit-elle en faisant la moue. Une tante d'Aberdeen que j'aime beaucoup, précisa-t-elle en voyant la tête que je faisais.

J'étais soulagé. Il me vint alors une idée.

– Louise, vous vous rappelez cette pièce de théâtre amateur dont vous m'avez parlé il y a quelques jours ? Pourriez-vous me répéter ce que vous m'aviez dit ? Un détail m'avait frappé sur le moment.

– Mais pas au point de rester gravé dans votre mémoire.

– Soyez gentille, redites-moi vos impressions sur cette pièce.

– Je l'avais trouvée très réussie. D'anciens amis de Graeme jouaient dedans. Des gens que vous ne connaissez pas, comme David M'Clung et Henry Burgoyne. C'est cela que vous voulez savoir ?

– Oui, dites-moi la suite.

– C'est à peu près tout. Graeme a horreur de l'admettre, mais Andrew Burnham est un excellent comédien amateur. Ils se détestent depuis qu'ils sont tout petits. Andrew est vraiment très doué. Si vous l'aviez vu au bal masqué du commissaire Scobbie : il était éblouissant. Évidemment, mon père n'a pas aimé. Il trouvait que cela allait trop loin.

– Comment cela ?

– Andrew jouait tellement bien son rôle, que Père en était presque mal à l'aise. Moi, je me demandais simplement qui était le coiffeur qui avait arrangé ses cheveux.

Quand Louise partit rejoindre sa tante, je décidai de me passer de déjeuner pour aller faire un tour du côté de l'opéra. Je me rendis dans une taverne située tout près, *Le Cerf Blessé*. Les machinistes du théâtre, accoudés au bar, avaient presque tous une pinte de bière noire à la main. Les musiciens et choristes bavardaient, accordant leurs cornemuses autour d'un verre de sherry. Je cherchais Jasper Ballantyne : c'était un ancien étudiant en médecine qui, découragé par son échec en deuxième année, avait loué ses services au théâtre, où il travaillait depuis comme homme à tout faire. Tant que sa force physique resterait intacte, il était sûr de garder sa place.

Ballantyne était debout à l'extrémité du comptoir, un verre vide à la main. Je m'approchai, lui assenai une tape amicale dans le dos et commandai deux pintes au barman, dont l'expression signifiait clairement qu'il aurait préféré faire un autre métier : il ne cessait de toiser ses clients d'un air profondément réprobateur, peut-être leur reprochait-il tout simplement de boire ! Jasper Ballantyne, lui, ne cherchait pas à réfréner ses vices. Malheureusement, cela commençait à se voir. Il avait de grands cernes violacés sous les yeux et le teint blafard. Quand je lui en fis la remarque, sur le ton de la plaisanterie, il prétexta que les gens de théâtre passaient leurs journées enfermés et qu'il n'y avait donc pas lieu de s'étonner de leur pâleur. Pour prouver ses dires, il m'invita à regarder les visages blêmes de ses compagnons. Mais avec les choristes la comparaison était impossible : déjà maquillés pour la matinée, ils avaient évidemment bien meilleure mine que nous ; et le miroir au-dessus du zinc ne nous renvoyait pas une image bien flatteuse de nos propres traits.

Après avoir échangé quelques plaisanteries et souvenirs du temps où nous étions à la faculté de médecine ensemble, j'en vins au but de ma visite.

– À part ce pauvre Gordon Eward, sais-tu si Mlle Clery avait d'autres admirateurs ? Un vieux et riche mécène, peut-être ?

– Tu sais, Artie, je ne la connaissais pas très bien. C'est dommage, d'ailleurs, elle était drôlement jolie, cette môme.

Je grinçai des dents en l'entendant user de ce diminutif puéril, mais me gardai de l'interrompre.

– Tu ferais mieux d'aller demander à Hew M'Chesney. C'est ce type, là-bas. Il paraît qu'il s'est mis à pleurer quand on lui a annoncé qu'elle avait été assassinée.

Jasper fit les présentations et je répétai ma question au gros homme, dont l'énorme face rubiconde jurait avec ses yeux tout petits, d'un bleu très clair.

– C'était une vraie dame du monde et une artiste incomparable, dit-il. En France et ailleurs, elle avait toujours une cour de prétendants à ses pieds, et pas des moindres : des hobereaux de Charlotte Square, des vicomtes, monsieur l'honorable Untel par-ci, monsieur le duc de Machin par-là. Elle a vécu quelque temps avec un poète, rue Scribe, à Paris, mais c'était pour l'obliger à finir l'opéra qu'il avait promis de lui écrire. Du jour où elle a rencontré Gordie, à Menton, tout a changé. Faut dire que Gordie, lui, s'y connaissait vraiment en musique. Elle disait que Gordie était si beau qu'il aurait mérité un opéra de Gounod. Alors, non, monsieur : depuis Gordie, plus aucun prétendant ni chevalier servant n'a réussi à s'approcher d'elle.

– Et Hew l'aurait su, si elle avait eu une aventure. Les secrets sont bien mal gardés au sein d'une compagnie d'art lyrique, m'affirma mon ancien camarade d'université.

Je les remerciai en hochant la tête, sur le point de repartir ; la bière m'embrouillait les idées et j'avais oublié près de la moitié des questions que je voulais poser.

– Hew, tu ne lui as pas parlé de Cabezon.

– Quel rapport ?

– Artie jugera. Mario Cabezon est professeur de chant. Il donne ses leçons à Dewar Place. Mlle Clery a été son élève, à Milan.

Je pris note du nom pour être poli, mais je me voyais mal suivre cette nouvelle piste alors qu'il nous restait si peu de temps.

– Quand était-ce ? demandai-je.

– Juste avant ses débuts à Milan.

– Il paraît qu'il travaillait avec elle comme un sculpteur : il modelait son chant, mais aussi sa façon de parler ou de marcher.

– Cabezon ressemblait moins à Cellini qu'à Méphisto : il lui faisait travailler *Faust*. Il fallait une soprano pour le rôle principal.

– Mais tout était fini entre eux depuis longtemps, quand elle est arrivée ici, bien sûr. Ce fut probablement un des mariages les plus courts de l'histoire.

– Parce qu'ils étaient *mariés* ! Hermione Clery était *sa femme* ? À quand remonte ce mariage ?

– À sept ans. Et ils sont toujours officiellement mari et femme. Le divorce n'existe pas dans les contrées papistes d'Italie.

– Mlle Clery est donc, ou plutôt était, légitimement Signora Mario Cabezon ? Et vous dites qu'il vit ici à Édimbourg ?

– Cabezon était un Pygmalion jaloux de chaque note chantée par sa Galatée. Après leur séparation, il l'a suivie partout : à Rome, à Paris, à New York et, pour finir, à Édimbourg, avec le début de la saison lyrique. Tous les soirs où elle chantait, il réservait une baignoire à l'opéra.

– Est-ce que Cabezon était là le soir du meurtre ?

– Bizarrement, la police ne l'a pas interrogé, lui. Moi, ça m'a drôlement étonné.

– À quoi bon remuer tout ça, Artie ? fit mon ami en posant sa main sur mon épaule. Le vieux Marwood arrive jeudi. Il va pendre le petit Lambert à ce gibet tout neuf, qui n'a encore jamais servi. Lambert va le baptiser pour tous ceux qui suivront.

– Dire qu'on fait venir un type de Horncastle pour ça ! observa Hew sans s'adresser à personne en particulier. Autrefois, c'étaient des Écossais bien de chez nous qui faisaient le travail. Comme si on avait besoin que les Angliches nous envoient leurs bourreaux ! Maintenant, on n'a même plus le droit de tordre le cou à quelqu'un sans la permission de Whitehall. Pourquoi s'étonner ? Les Écossais payent des impôts, mais ce n'est pas l'Écosse qui en profite.

Je ne tentais même pas d'endiguer ce flot de récriminations. Mieux valait le laisser se tarir de lui-même.

L'une des choristes vint se joindre à nous, une jeune beauté à la taille de guêpe et aux yeux noirs. Elle avait les cheveux relevés et portait un pince-nez noué à un ruban noir épinglé à son corsage. Nous ayant entendus parler de l'exécution, elle venait ajouter son grain de sel.

– Vous savez ce qu'on dit sur les pendus, Jasper ? lui demanda-t-elle avec un sourire malicieux, en venant se placer tout près de mon ancien camarade.

– Ce qu'on en dit ? répéta-t-il. Parce que vous trouvez que c'est un sujet de conversation ? Moi, tout ce que je sais, c'est que le malheureux ne pourra plus jamais payer sa tournée quand Marwood aura fait son boulot. Mais regretteriez-vous de ne pas pouvoir assister à l'exécution, Mrs Gibson ?

On me présenta alors à la nouvelle venue, Flora Gibson, choriste et doublure soprano du second rôle. Avec son maquillage de scène, elle réussissait à avoir l'air d'une dame bien comme il faut, tout en étant très provocante.

– Je ne comprends pas pourquoi le public n'a pas le droit d'y assister, Jasper. Ils pourront faire tout ce qu'ils veulent au pauvre homme sans qu'on n'en sache jamais rien. Au moins, il connaîtra un ultime spasme de bonheur, juste avant de quitter ce monde.

– Vous n'êtes pas un peu folle ? Mais de quoi parlez-vous ?

– Oh ! Oh ! À ce que je vois, l'éducation du grand Mr Ballantyne n'est pas encore tout à fait complète. Si vous avez la gentillesse de m'offrir un sherry, juste un petit verre, alors je me laisserais peut-être convaincre de vous apporter mes lumières.

La jeune femme me jeta un coup d'œil, comme si elle craignait que je ne lui coupe l'herbe sous le pied, la privant ainsi de son verre de sherry. Mais la conversation se mit à rouler sur d'autres sujets et je m'en désintéressai, ne prêtant plus attention qu'aux expressions des visages qui m'entouraient. Quand elle se tarit un peu, quelques minutes plus tard, une autre question me revint.

– Hormis sa grande beauté et sa passion pour la musique, que savez-vous d'autre au sujet d'Eward ?

Hew réfléchit quelques instants.

– Rien du tout, en fait. Il n'était pas de notre monde, il faut dire. Il était comptable aux Travaux publics. C'était un rond-de-cuir, voilà tout. Il était bon pour les chiffres, je vous l'accorde, les additions, les soustractions et tout ça. Pas bien malin, sans doute, mais pas méchant. Un genre d'imbécile heureux, voilà ce que j'ai entendu dire sur lui.

Flora Gibson suivait notre échange, posant son regard sur l'un puis sur l'autre, comme dans un match de tennis.

– Et où avez-vous entendu dire cela ? m'enquis-je.

Hew essuya lentement la mousse sur ses lèvres du revers de sa manche, n'arrêtant son mouvement qu'en sentant les boutons frotter sur sa bouche. Flora Gibson me fit un sourire complice, mais resta collée à Jasper. Désireuse de pimenter la conversation, elle essaya de changer de sujet :

– Quand j'étais petite, à Glasgow, j'ai vu un couple se faire pendre ensemble.

Elle était adossée au comptoir, légèrement renversée en arrière ; dans cette posture, son corsage comprimé laissait deviner par transparence la dentelle de son caraco, dont les motifs se dessinaient en relief.

– Je n'ai même pas eu peur ! poursuivit-elle. Le pasteur venait de les marier, sur le gibet. Elle s'appelait Blackwood. J'ai oublié le nom de son mari mais, de toute manière, elle ne l'a pas porté longtemps ! Elle n'avait pas plus tôt crié « Oui ! » que le bourreau a actionné la trappe sous les pieds des jeunes mariés !

Jasper et Hew regardaient fixement la jeune femme, qui avait presque vidé son petit verre de sherry.

– Lui, il est mort en quelques minutes, ajouta Flora Gibson, mais sa femme a mis plus de temps. Avez-vous jamais imaginé ce que cela fait, Hew ?

Il se contenta de retourner un sourire ironique à Flora Gibson, puis tourna les yeux vers moi.

– Vous devriez aller voir John James M'Dougal au bureau des Travaux publics, pour Eward. Il pourra sûrement vous raconter d'autres choses sur lui. Dites-lui que vous venez de ma part.

Je partis dès que l'occasion de m'esquiver poliment se présenta. Après avoir déniché au fond d'une petite rue une gargote où l'on voulut bien me préparer un sandwich, je retournai à la bibliothèque. J'étais impatient de suivre la piste que Hew m'avait obligeamment indiquée et d'informer Bell de l'existence de ce Cabezon. Mais en arrivant à ma place, j'y trouvai le jeune Biggar qui m'attendait.

– Il a un message pour toi, m'annonça-t-il d'un ton irrité et contrarié qui commençait à devenir sa manière d'être habituelle.

– Tu veux parler du Dr Bell ?

– Qui d'autre aurait osé me demander de passer la ville au peigne fin pour te retrouver ? Il m'a dit que c'était très important et que tu comprendrais. Mais il n'a pas voulu m'expliquer.

– Merci, John. Le Dr Bell sait qu'il peut compter sur toi, dis-je, m'efforçant en vain d'apaiser sa jalousie. Quel est son message ?

– Tu dois le retrouver à la gare de Waverley à 4 heures. Vous prendrez le train de 4 h 15 pour York. Prépare quelques affaires et ne sois pas en retard.

Je remerciai Biggar et rassemblai mes notes. De retour chez moi, je demandai à Bridget de bien vouloir me préparer un sac avec quelques vêtements. Je ne savais même pas si notre voyage allait durer une journée, deux ou plus. J'étais seulement sûr qu'il ne se prolongerait pas jusqu'à la fin de la semaine, Lambert ayant rendez-vous avec son bourreau jeudi.

Vu l'heure, je hélai un fiacre et demandai au cocher de me conduire le plus vite possible à la gare. Le jour commençait à décliner et les échoppes devant lesquelles nous passâmes avaient déjà allumé leurs lampes. La brume jaunâtre qui flottait sur la ville semblait un voile de gaze coloré tendu devant les becs de gaz, dont on n'apercevait que des halos troubles et lointains. Le brouillard épais, ajoutant à la réfraction de la lumière, réduisait la visibilité presque autant que sous une tempête de neige.

Bell était déjà à la gare. Sa logeuse l'avait accompagné et lui faisait ses dernières recommandations, pour qu'il retînt bien le contenu de son sac de voyage et l'endroit où elle avait rangé les billets, dans l'une de ses poches intérieures. Il hochait la tête et gesticulait en disant qu'il avait tout bien compris et qu'elle allait nous faire rater notre train si elle s'obstinait à répéter la même chose pour la quatrième fois.

– Ah ! Doyle ! Je suis bien content que vous ayez reçu mon message à temps. J'ai déjà les billets. Ne prenez pas cet air ahuri. Je vous expliquerai tout quand nous serons dans le train. Merci, Mrs Murchie. Je vous sais infiniment gré de votre gentillesse.

– J'ai mis vos pilules dans votre sac et une blague à tabac supplémentaire sous votre pyjama.

– Chère Mrs Murchie ! Mais il ne fallait pas ! Vous êtes un ange.

Bell me fit un clin d'œil. Nous dîmes au revoir en chœur à la logeuse, puis nous élançâmes vers les contrôleurs postés devant les grilles qui défendaient l'accès aux quais. À l'intérieur de la gare, la lumière prenait une teinte sous-marine, qui vous donnait envie de ressortir à l'air libre au plus vite. Une immense horloge lumineuse indiquait l'heure aux hommes et femmes qui se bousculaient sur les quais, montant ou descendant des voitures. Des machines diaboliques crachaient des nuages de vapeur blanche, comme pour montrer à la ville à quoi devait ressembler un brouillard digne de ce nom. Un petit homme avançait le long du quai et frappait les roues des wagons avec un marteau, guettant le son mat indiquant une cassure ou une fissure.

Bell me tira par la manche jusqu'à ce que nous soyons arrivés sur la bonne voie et montés dans le bon train, où nous finîmes par trouver un compartiment libre. Nous avions cinq minutes d'avance, mais cela ne nous laissa que le temps de placer nos bagages dans les râteliers au-dessus de nos têtes et de nous installer confortablement pour le voyage. Le train s'ébranla lentement, comme un gros monstre revenant subitement à la vie.

– Alors, Dr Bell, dites-moi tout : pourquoi sommes-nous dans ce train qui fonce dans la nuit noire vers la ville d'York ?

– Bonne question. Très pertinente et parfaitement justifiée. Vous vous rappelez la fois où je vous ai dit que seul un spécialiste pourrait nous aider ? J'avais alors écrit à Monty Corry, l'un de mes anciens étudiants. Eh bien, sachez que Monty est le secrétaire attitré du Premier ministre. Et pour tout vous dire, mon excitation est à son comble, car nous avons rendez-vous avec le Premier ministre.

– Le Premier ministre ? Vous voulez dire que nous allons rencontrer Disraeli ?

– Il faut l'appeler lord Beaconsfield à présent. Mais c'est tout comme. Tenez, lisez donc le télégramme de Monty pendant que je vérifie quelque chose dans l'indicateur Bradshaw des chemins de fer.

Il sortit l'épais volume à reliure jaune de son sac et se mit à en feuilleter les pages tout en continuant à me parler :

– Dizzy est le spécialiste auquel je faisais allusion. Vous vous rappelez ?

J'avais le télégramme devant les yeux, mais j'étais incapable de le lire. L'idée que j'allais rencontrer Benjamin Disraeli avait annihilé en moi toute pensée, tout désir. Je n'arrivais même plus à parler, tout juste à bafouiller, le regard fixe et vide.

22

Dès l'arrêt complet du train à la gare d'York, nous sautâmes sur le quai, où un contrôleur nous indiqua, à travers les nuages de vapeur crachés par la locomotive, où trouver le chef de gare. Prévenu de notre arrivée, celui-ci surveillait la foule des voyageurs. Le train, poursuivant sa route vers le sud, se vidait d'un bon tiers de ses passagers et s'apprêtait à en embarquer d'autres, encore plus nombreux.

Pendant le voyage, j'avais eu tout le loisir de raconter en détail à mon ami mes dernières découvertes. Les intéressantes informations recueillies à la taverne du *Cerf Blessé* nous ouvraient une nouvelle piste, que nous comptions bien suivre dès notre retour à Édimbourg. Ma description de Flora Gibson amusa beaucoup Bell.

– Son comportement a tout du rituel animal de la parade amoureuse, Doyle, ou du moins, s'en rapproche beaucoup. Votre ami ferait bien de rester sur ses gardes. Cette femme ne cherche qu'à réveiller ses instincts de mâle, comme disait le Dr Johnson à propos d'une autre personne appartenant comme elle au monde du théâtre. Helen Blackwodd a été exécutée il y a vingt-six ans. Le récit de Mrs Gibson ne me paraît donc pas très crédible, à moins que vous n'ayez, dans votre charmante description, rajeuni par mégarde cette belle dame de quelques années.

Je me sentis vraiment ridicule. Dire que je croyais avoir réussi à cacher à Bell l'émoi passager que la ravissante choriste avait fait naître en moi !

Le chef de gare salua Bell et nous pria de le suivre. Il nous conduisit tout au bout du dernier quai qui longeait le mur de la gare et débouchait à l'air libre. Quelques mètres plus loin, un train composé de trois ou quatre voitures seulement nous attendait. Un agent de police aux joues roses était posté près du wagon de queue. Le chef de gare nous invita à monter à bord. Un homme grand et mince, qui devait avoir entre trente-cinq et quarante ans, surgit de la voiture.

– Joe ! Joe Bell ! s'exclama-t-il. Que je suis content de vous voir ! Comment allez-vous, mon cher ?

L'homme serra son vieil ami dans ses bras, avec un grand sourire qui me laissa d'abord interdit. Joe me présenta alors à Montague Corry qui, redoublant de chaleur et de cordialité, nous pria de le suivre à l'intérieur du wagon, dépourvu des habituels compartiments et aménagé en salon.

Corry avait les traits et l'allure d'un aristocrate ; il

le savait, mais ne prenait pas pour autant de grands airs du fait de sa lignée ou de sa position. Aussi aimable avec moi qu'avec Bell, il se montra accueillant et amical, comme s'il retrouvait de lointains cousins perdus de vue. Quand le chef de gare se retira après nous avoir salués, notre hôte nous invita à prendre place sur des chaises rembourrées et nous expliqua comment notre rendez-vous allait se dérouler. Son ton n'avait rien de protocolaire : il ne songeait ni à nous manipuler ni à nous donner des directives. Comme il nous eût exposé les règles d'un nouveau jeu passionnant, il nous annonça que le Premier ministre était pour l'instant en train de se reposer, mais que dans vingt minutes environ, il se réveillerait et prendrait une légère collation. Et qu'il nous recevrait à ce moment-là.

Je m'étais toujours imaginé que pour être reçu par un grand homme d'État, il fallait parcourir de longs couloirs interminables, avec laquais en livrée ouvrant les portes à double battant l'une après l'autre, avant d'être admis, enfin, dans le saint des saints, au fond duquel trônait l'auguste personnage. Dans ce modeste wagon de train, rien n'évoquait la pompe ni les fastes du congrès de Berlin, pas même les dignités attachées à la charge de Premier ministre. Non, ici, tout était strictement fonctionnel. Des valises officielles de couleur rouge et des cartons remplis de dossiers étiquetés avec le nom des différents départements ministériels étaient empilés dans un coin. Le gouffre entre les délires de mon imagination et cette réalité bassement prosaïque me donnait le vertige.

Corry avait déjà engagé la conversation avec Bell. À en juger par les questions qu'il posait à mon ami, il connaissait aussi bien que nous tous les détails de l'affaire. Il savait à la minute près combien il restait de temps à vivre à Alan Lambert. Il nous indiqua la procédure à suivre auprès du ministère de l'Intérieur, si jamais nous parvenions à réunir des preuves justifiant un pourvoi en cassation. Il nous rappela les exigences auxquelles devait répondre ce type de preuves.

– Il ne suffit pas, vous savez, d'attirer l'attention sur telle ou telle pièce du dossier qui n'aurait pas été présentée au cours du procès. Il faudrait pouvoir apporter la preuve tangible et irréfutable que la cour n'a pas rendu la bonne sentence. Disposer d'éléments à la fois nouveaux et pertinents, susceptibles de remettre en cause toute l'instruction. Inutile, par exemple, de signaler que le nom du coupable n'a pas été correctement orthographié dans un rapport, Dr Bell, ou d'invoquer l'illégalité de son placement en détention alors qu'on ne lui avait pas énoncé les charges retenues contre lui.

– Monty, voyons ! Je sais bien qu'il ne sert à rien de pinailler sur des vices de procédure à ce stade de l'enquête. Mais l'innocence de cet homme ne fait aucun doute et nous le prouverons, je vous le garantis. Sa culpabilité ne repose que sur un dossier d'accusation truffé d'imprécisions et de preuves douteuses.

– Le système judiciaire écossais ne permettant pas de faire appel, vous êtes contraint de déposer une demande de pourvoi directement auprès du ministre de l'Intérieur, ce qui peut jouer en votre faveur. Mais avant que vous ne franchissiez le pas, j'aime autant vous prévenir : les pourvois sont plus souvent rejetés qu'acceptés. Avec les conséquences qui s'ensuivent. Vous n'êtes pas à l'abri, Joe. Vous prenez des risques en agissant ainsi.

– Comme un funambule travaillant sans filet, mon cher Corry ! lança une voix. Bonjour, messieurs ! Enchanté, Dr Bell ! Bienvenue, Mr Doyle ! Bientôt docteur en médecine, vous aussi ? Votre oncle a fait de moi un portrait que je conserve précieusement, vous savez ; c'est le genre de petits trésors qui donne un sens à la vie. Non, restez assis. Je vais prendre un siège, tout comme vous. Je serai plus à mon aise.

C'était Disraeli, bien sûr ! Il se joignit à nous en toute simplicité. Sans l'avoir jamais vu, tout en lui m'était familier : sa peau bistre, ses yeux noirs et brillants, son grand front, avec cette petite boucle de cheveux retombant au milieu, ses épaules un peu voûtées, son maintien étudié. Disraeli, ou plutôt lord Beaconsfield, puisqu'il portait ce titre depuis trois ans, semblait une caricature vivante de Leach, Dicky Doyle, Vincent ou Ape tout droit sortie des pages de *Punch* ou *Spy*. Il était solennellement vêtu de noir, mais ni ses manières ni sa contenance n'étaient solennelles. Remarquant mon regard insistant, il sourit de me voir rester bouche bée, tétanisé par la surprise.

– Vous n'en croyez pas vos yeux, n'est-ce pas ? Allons, faites comme si vous aviez des hallucinations : je ne suis en réalité que le fantôme de moi-même, une apparition. Ou bien dites-vous que je suis le Premier ministre du Canada, à qui je ressemble beaucoup, si cela peut vous aider à recouvrer vos esprits.

Il fit un grand sourire à Corry et Bell, puis se pencha vers mon ami en lui tapotant le genou.

– Corry me chante vos louanges depuis que je le connais et cela fait quinze ans que ça dure ! J'espère que votre visite va un peu calmer le flot de son adulation et qu'il cessera de me rebattre les oreilles avec ses éloges. En tout cas, merci d'être venu, vous me rendez un fier service !

Nous éclatâmes tous de rire, ce qui détendit brusquement l'atmosphère à l'intérieur du wagon, comme si l'on venait d'ôter la soupape d'un caisson sous pression.

– Dr Bell, je ne sais pas si vous le savez, mais le plus grand détective du monde, si l'on exclut le prophète Daniel, était écossais, tout comme vous : je veux parler de l'infatigable Mr Pinkerton, qui servit Mr Lincoln. Il est originaire de Glasgow. Il est parti en Amérique à cause de son engagement, dans sa jeunesse, auprès des Chartistes.

– Je ne suis pas à proprement parler détective, monsieur. Je me contente d'appliquer des techniques de déduction, qui permettent de découvrir ce que l'on ne sait pas, à partir des choses que l'on sait. Voilà tout.

– Docteur, vous ne réussirez pas à démolir en dix minutes le monument que Monty a mis des années à ériger à votre gloire. En outre, cela n'a rien de péjoratif. Le détective est le chevalier errant des temps modernes. Le but de sa quête n'est plus une belle dame en détresse – pas nécessairement – mais la justice. J'aimerais lever un verre à cette noble profession. Ah ! On nous apporte justement ce qu'il faut.

Un valet vêtu d'une redingote à rayures or et noir entra avec un seau d'argent contenant une bouteille de vin rouge, puis repartit chercher un plateau de sandwiches.

– Je regrette de ne pas être un fantôme, parfois. Je pourrais par exemple me faufiler derrière Gladstone sur son estrade, et faire s'envoler les pages de son discours. Il est en ce moment même à Midlothian, en train de vitupérer contre mon gouvernement. De toute façon, il n'a jamais suivi ni un texte, ni un principe, ni une politique à la lettre. Un de mes généraux, dont je tairai le nom, un célèbre officier de haut grade, aimerait bien, j'en ai peur, être un fantôme lui aussi. Ou devenir un martyr, peut-être. Je ne peux pas, en mon âme et conscience, demander aux hommes d'obéir à cet officier. Je refuse de jouer les Ponce Pilate. J'ai donc veillé à le mettre hors d'état de nuire en l'affectant dans une garnison à proximité où j'entends bien le maintenir en poste.

Mais l'heure tourne, Dr Bell ! Dites-moi donc comment je puis vous aider sans trop malmener la constitution de ces comtés.

– Notre marge de manœuvre est limitée, monsieur. Je le leur ai déjà expliqué.

– Bien sûr, Monty. Bien sûr. Je n'en attendais pas moins de vous. Vous devez savoir, Dr Bell, enchaîna-t-il en se tournant vers mon ami, que le ministère de l'Intérieur est très jaloux de ses prérogatives. Il use volontiers des droits et pouvoirs qui lui sont conférés, mais déploie moins de zèle à remplir ses devoirs. Bref, il ne diffère guère en cela des autres ministères. L'Écosse est administrée depuis plus de cent ans par des fonctionnaires qui trouvent toujours une bonne raison de ne pas s'attaquer à cette corvée. Je dis « corvée », parce qu'après des siècles de négligence, l'Écosse requiert aujourd'hui une attention particulière, qu'un ministère est bien incapable de lui accorder. Personnellement, j'aime beaucoup l'Écosse, malgré ses universités whig[1]. Notre reine bien-aimée l'adore aussi. Si seulement nous pouvions lui faire prendre conscience de tous les problèmes qu'il faudrait régler ! Mais un cabinet est comme une calèche lancée à vive allure : chaque tour de roue entraîne un nouveau grincement, plus fort que le précédent. Seulement nous devons continuer de rouler sans nous arrêter, en essayant de ne

1. Whig : du parti libéral, par opposition au parti conservateur (tory). (NdlT)

pas nous tromper de route, jusqu'à ce que nous tombions de fatigue. Sur les questions de justice, le ministre de l'Intérieur est conseillé par le chargé des affaires écossaises et sir George Currie, en sa qualité de lord Advocate et préfet de la police d'Édimbourg. Or l'affaire qui nous intéresse a justement été instruite par sir George. À ce titre, il aurait dû rester impartial, confier ce rôle de conseil à quelqu'un d'autre et ne pas intervenir dans les débats de la commission chargée de la contre-enquête qui s'est constituée en partie grâce à vous. Mais on ne peut pas faire entendre raison à un préfet de police, comme celui-là, qui nourrit des ambitions démesurées. Sir George a les yeux plus gros que le ventre. Il prétend être à la fois juge et partie. En d'autres mots, on ne peut pas lui faire confiance. Oh, c'est sûrement un homme honnête, un bon patriote, qui ne bat pas ses chiens et veille à l'instruction de ses filles, mais il manque de clairvoyance. C'est un défaut assez répandu. La première fois que j'ai voulu prendre la parole à l'Assemblée, on m'a hué si fort que j'en avais les oreilles qui sifflaient. Mais j'ai prédit à ces messieurs qu'un jour ils finiraient par m'écouter. Et j'avais raison. Depuis, ils m'écoutent.

– Monsieur, l'interrompit Monty Corry, ces messieurs doivent prendre leur train pour rentrer en Écosse dans dix minutes.

– Sapristi ! Je ne vous ai même pas laissés parler ! Mais je vous en prie, à mon tour de vous écouter, cette fois, fit Mr Disraeli avec un clin d'œil.

Bell reposa le sandwich qu'il tenait à la main sur un guéridon avant d'ouvrir la bouche :

– Tout d'abord, permettez-moi de vous rappeler, monsieur, l'urgence de la situation. De retour à Édimbourg, nous n'aurons plus que quelques heures devant nous. En outre, nous avons affaire à des hommes déterminés. Un policier, n'ayant pas réussi à nous arrêter, a déjà été assassiné. Ils ne reculeront devant rien.

Bell se pencha alors vers le Premier ministre et continua de lui parler à voix basse, si bien que je n'entendis pas la suite. Disraeli l'écoutait avec attention, hochant la tête. Au bout d'un moment, il interrompit Bell d'un geste de la main et lui murmura longuement à l'oreille. Bell, à son tour, l'écouta en hochant la tête. Puis ils se renfoncèrent dans leurs sièges et finirent par reprendre un ton normal.

– Dr Bell, déclara le Premier ministre, vous avez affaire à des gens qui s'imaginent sauver la nation en prétendant que la nation ne fait jamais d'erreur. Ils préfèrent écraser un innocent qui a eu la bêtise de rester au milieu de la voie plutôt que d'arrêter la machine. Dans leur ignorance, ils enterrent tous les cadavres dans notre jardin, pensant qu'il serait plus déshonorant d'avouer les faux pas de ce jardinier un peu particulier qu'on appelle gouvernement. Comme si les gouvernements ne faisaient pas constamment des faux pas. Prenez le mien, par exemple. Mais vous n'avez pas le temps d'écouter mes histoires.

Monty, aidez-moi à retrouver le fil de ce que je disais. Où en étais-je ?

– Vous expliquiez au Dr Bell ce que vous pouviez faire pour l'aider, monsieur.

– Ah, oui ! Alors voilà, docteur, j'aimerais vous annoncer que je vais sortir votre jeune client de prison et qu'il sera bientôt libre comme l'air. Malheureusement, je ne le peux pas. Dans ce domaine, le ministre de l'Intérieur est autonome. Le cabinet n'a pas le droit d'intervenir. Ni de contester ses décisions. Et je ne peux pas non plus lui glisser un mot à l'oreille pour tenter de l'influencer. Pas avec *ce* ministre de l'Intérieur ! Mais je suis passé maître dans l'art d'emprunter des chemins de traverse. Aussi, vous pouvez compter sur moi pour prévenir le ministère de l'Intérieur que de nouvelles révélations vont très bientôt lui être faites, et mettre en branle la machine judiciaire pour suspendre l'exécution dès réception de votre demande de pourvoi. Pour ce faire, je mets le premier messager de la reine à votre disposition. Il arrivera à Édimbourg par le même train que William Marwood, le bourreau, m'a dit Monty. Curieuse coïncidence, n'est-ce pas ? Je me demande s'ils vont se rencontrer et se parler.

Dizzy, comme on l'appelait familièrement dans mon entourage, continua de parler tandis que le plateau de sandwiches passait de genoux en genoux. Nous bûmes également la bouteille de vin, qui portait une étiquette marquée « Lafite ». Mais nous ne pouvions rester bavarder plus longtemps. Corry ayant consulté deux fois sa montre, lord Beaconsfield se leva brusquement et nous serra cordialement la main. Nous prîmes congé, sans avoir aucunement le sentiment d'être chassés, et descendîmes du wagon sur le quai de la voie de garage. Jetant un regard en arrière, nous aperçûmes Disraeli, resté debout dans l'embrasure de la porte, comme s'il avait voulu nous offrir cette dernière image de lui en souvenir. Cette mise en scène, si inspirée fût-elle, était sans aucune arrière-pensée. Aucun égotisme dans son attitude : non, il s'était attardé spontanément pour nous dire au revoir. Nous nous tournâmes vers lui et soulevâmes nos chapeaux. Il nous répondit en agitant la serviette accrochée à son menton. Peut-être quelques miettes de Downing Street tombèrent-elles sur la voie.

23

La gare et la masse sombre de la ville d'York étaient déjà loin derrière nous quand Bell sortit enfin de son mutisme. Ayant trouvé un compartiment libre, nous avions pu nous installer à notre aise pour le voyage. Mon ami, profondément absorbé par ses pensées, s'était calé dans son siège, la tête renversée en arrière, les doigts joints, les yeux clos.

De mon côté, je refaisais défiler dans ma tête chacune des minutes passées dans le train du Premier ministre, un peu comme lorsque j'analysais mes combats de boxe, m'efforçant de les revoir coup par coup, d'un point de vue neutre. Mes performances sur le ring s'en trouvaient améliorées, certainement, mais je prenais aussi conscience que ma forme physique n'était qu'une partie de l'équation. Souvent, je me mesurais à un adversaire plus fort que moi, aussi mes coups portaient-ils moins que les siens. Je manquais aussi de rapidité pour anticiper ses réactions et parer ses attaques à temps. Je me remémorai donc chaque mot du Premier ministre, chacune des expressions qui avait traversé le masque de son visage, m'efforçant de discerner après coup ce qui avait pu m'échapper sur le moment.

– Il ne va pas bien.

– Quoi ? fis-je, brusquement tiré de ma contemplation par cette remarque inopinée de Bell.

– Lord Beaconsfield. Il est malade.

– Allons donc ! protestai-je.

– Je sais, je sais. Il le cache bien. Et son moral est bon. Néanmoins…

– Et c'est grave ?

– Apparemment, il est tombé dans les griffes d'un homéopathe. Le traitement administré doit lui faire du bien, mais ces ingestions d'arsenic – même à doses très infimes – ne font que lui donner l'apparence de la santé. La réalité est tout autre.

– Et vous avez deviné tout cela en quelques minutes ?

– Oh, oui. Il m'a suffi de le voir pour faire un diagnostic : asthme, bronchite, insomnie et – j'en ai peur – néphrite chronique. Vous savez, le mal de Bright.

– En êtes-vous bien certain ?

– Doyle, vous connaissez mes méthodes. Voulez-vous que j'entre dans les détails ?

– Ce que j'aimerais savoir, c'est si lord Beaconsfield est vraiment capable de nous aider.

– Ah ! C'est toute la question. Nous avons eu

droit à un rare aperçu de son art consommé de fin politicien.

– Êtes-vous en train de me dire que son aide n'est qu'apparence, sans substance ?

– Doyle, mon ami ! Si jeune et déjà tellement cynique ! J'ai peine à le croire !

Et il se mit à rire à gorge déployée, tandis que je me sentais de nouveau comprimé par mon col. Je n'avais pas cherché à faire de l'esprit. Les mots m'étaient sortis tout seuls de la bouche.

Moins de cinq heures plus tard, nous retrouvâmes le brouillard jaune d'Édimbourg et son atmosphère enfumée par des centaines de milliers de cheminées. Il faisait froid, impression renforcée par le souffle glacé d'un petit vent de nord-est. Nous prîmes un fiacre qui déposa Bell à Lothian Street et me conduisit ensuite chez moi.

– Monsieur Arthur, des policiers ont demandé après vous, m'annonça Bridget en m'ouvrant la porte. Deux hommes sont passés hier soir, et ils sont revenus ce matin.

La police avait donc dû retrouver le corps de Webb. Quand nous l'avions remis dans son placard, Bell avait vu juste en disant que cela ne nous ferait gagner que très peu de temps, que les autorités ne tarderaient pas à découvrir à leur tour son cadavre. Un ou deux jours tout au plus. Webb avait peut-être un successeur, chargé de nous reprendre en chasse. Mais je me sentais incapable de prendre la moindre précaution rationnelle et sensée avant un bon bain chaud. Je donnai donc mes instructions à Bridget, qui courut me préparer un bain, après m'avoir fait une courbette comme souvent lorsque nous étions seuls à la maison tous les deux.

Une heure plus tard, lavé et vêtu de frais, je retournai à pied à Lothian Street. Je m'étais débarrassé de la poussière du voyage, mais j'avais déjà le corps baigné d'une nouvelle sueur, à cause de ce que j'avais lu dans le journal glissé sous mon bras. On avait effectivement découvert le cadavre de Webb. La porte, qui n'était pas fermée à clé, et l'odeur émanant de l'appartement avaient alerté les voisins. L'article donnait une description détaillée de Bell et moi, mais ne mentionnait pas nos noms. Nous aurions été fous de croire que la police ne connaissait pas notre identité. Je pressai le pas vers Lothian Street, conscient de la gravité de la situation : il fallait prévenir Bell de toute urgence que deux policiers me recherchaient. Ils avaient sans nul doute dû lui rendre visite à lui aussi. Comme pour confirmer mes craintes, j'aperçus, en tournant à l'angle de la rue, deux inspecteurs de police : ils étaient « en civil », c'est-à-dire aussi faciles à reconnaître qu'en uniforme, et sortaient justement de chez Bell. Mrs Murchie, qui les avait raccompagnés à la porte, m'aperçut sur le trottoir d'en face, où je m'étais figé, comme frappé par la foudre. Les policiers remontèrent dans leur voiture qui s'ébranla et s'éloigna. La porte d'entrée de Bell se rouvrit et la brave Mrs Murchie me fit signe de traverser la rue. Après avoir regardé à droite et à gauche, pour être bien sûr que personne ne surveillait la maison, je courus à la porte. Mrs Murchie plongea la main dans son ample corsage et en sortit un billet rédigé par Bell à mon intention :

Nous sommes recherchés et il n'y a pas une minute à perdre. Retrouvez-moi en face de l'hôtel de ville dès que possible. Je serai dans la petite boutique de livres d'occasion de l'autre côté de la rue. Tâchez de ne pas vous faire suivre. Tout est perdu si nous nous faisons arrêter par la police.

Bell.

Il n'y avait aucun fiacre dans les parages, aussi repartis-je sans attendre, marchant aussi vite que possible. Je pensais héler un fiacre sur la route, mais je n'en vis pas un seul avant d'avoir passé le pont George-V, près de Lawnmarket. Cela ne valait plus la peine de faire signe à un cocher, j'étais presque arrivé. Dans High Street, je fis en courant la dernière centaine de mètres qui me séparait de mon but, soufflant de gros nuages de vapeur ronds dans l'air glacé, plus comme un cheval que comme un homme.

Une fois rendu, je me dirigeai vers le lieu de rendez-vous indiqué sur le billet. Feignant de lire la plaque en face de l'église Saint-Gilles, je jetai des regards furtifs autour de moi. Je ne vis aucun uniforme, pas le moindre inspecteur moustachu déguisé d'un grand manteau, ni aucun personnage louche, hormis Daft Dickie, le simple d'esprit, assis sur le muret d'enceinte de l'église et balançant ses petites jambes, comme s'il supervisait les travaux de restauration.

Quand je fus bien certain de n'avoir pas été suivi, je me rendis à la boutique et poussai la porte. À l'intérieur, il faisait si sombre que les clients ne pouvaient sûrement pas déchiffrer les ouvrages qu'ils auraient éventuellement voulu acheter. Parmi eux, j'aperçus Bell, un exemplaire de *Riche ou pauvre, recouvrez la santé sans médicament grâce au régime,* de Nicholas Culpeper, à la main, sa sacoche de médecin à ses pieds, mais toujours habillé comme il l'était avant notre séparation.

– Je pense que notre Premier ministre consulte un certain Dr Joseph Kidd, ardent défenseur de l'homéopathie et ancien propriétaire de ce pesant ouvrage.

Refermant le livre dans un claquement sec, il souffla la poussière accumulée sur la tranche. Puis, sous l'œil soupçonneux du libraire, nous sortîmes de la boutique.

– Rappelez-moi le nom de ce fonctionnaire qui pourrait nous renseigner sur Eward, me demanda Bell.

– John James M'Dougal, du bureau des Travaux publics, employé au service des finances.

Nous traversâmes la grand-rue, avançant prudemment entre les haquets et les carrioles. Déjà la lumière de cette journée automnale déclinait, reculant devant les ombres rampantes qui sortaient une à une de leur cachette pour réinvestir le cœur de la cité.

Nous entrâmes dans l'hôtel de ville, allâmes nous renseigner et nous retrouvâmes bientôt assis sur les sièges habituellement réservés aux contribuables venus faire des réclamations. John James M'Dougal acceptait de nous recevoir parce que nous venions de la part de son ami Hew M'Chesney, mais étant un homme très occupé, il espérait bien que nous ne le dérangions pas pour rien. La raideur de son dos disait éloquemment ses espoirs d'avancement. Après lui avoir présenté le Dr Bell, je laissai à Joe le soin de poursuivre. Mon ami commença par tirer parti de ma maladroite introduction : comme j'avais fait allusion à sa situation professionnelle lors des présentations, il s'ingénia à démontrer qu'en dépit de notre recommandation émanant d'un client de la taverne du *Cerf Blessé*, nous n'en étions pas moins des gens sérieux, animés d'intentions sérieuses.

– En fait, nous nous intéressons à Mr Gordon Eward et nous pensions que vous pourriez nous parler de lui, dit-il.

– Gordon Eward ? Il sera bientôt vengé, non ? Œil pour œil. Le Seigneur châtiera tous les impies.

– C'est bien possible, monsieur, fit Bell. Mais l'homme qui va être châtié pour le crime odieux dont Eward a été victime n'est pas le bon. J'en ai la certitude. Et vous pourriez nous aider à trouver le vrai coupable avant qu'il ne soit trop tard.

Je m'aperçus que Bell était en train d'improviser

un nouveau rôle. Il adoptait la même gravité guindée que son interlocuteur.

– Mais enfin, docteur, je n'ai jamais rencontré cette femme… cette… cette… chanteuse d'opéra, Mlle Clery.

– Cela n'a aucune espèce d'importance. Vous connaissiez Eward et ce sont *vos* impressions sur lui que nous aimerions connaître. Que faisait-il, ici, à l'hôtel de ville ?

– Eh bien, il travaillait comme employé, comme nous tous. Il était chargé de surveiller le budget de plusieurs services, en sa qualité d'expert-comptable.

– Quels services ?

– Il s'occupait de la comptabilité des Travaux publics, du Trésor public, de la chambre de commerce et du bureau d'aide sociale.

– Savez-vous qui est à la tête de ces différents services ?

– Bien évidemment. Graham Falconer est mon supérieur, ici, aux Travaux publics. Archie Thornton est au Commerce, O.L. Patterson dirige le bureau d'aide sociale et les lourdes responsabilités de la section municipale du Trésor public incombent, bien sûr, à Andrew Burnham.

– Andrew Burnham. Aurait-il un lien de parenté avec le procureur ?

– Andrew est le fils de sir William, le troisième par ordre de naissance.

– Connaissait-il Eward ?

– Professionnellement, ils se connaissaient et travaillaient ensemble. Socialement, ils évoluaient dans des milieux complètement différents, bien que la famille d'Eward ne soit en aucune façon inférieure à celle d'Andrew. Seulement, grâce à son père, Andrew avait ses entrées partout dans la bonne société, alors que pour Gordon, c'était plus difficile.

– Mais il voyageait. Il est allé à Menton, dans le sud de la France. Il allait à l'opéra. Il couvrait sans nul doute sa maîtresse, Hermione Clery, de cadeaux.

Bell énonçait ces faits comme s'il s'agissait d'une question.

– Son père, décédé l'an dernier, lui avait laissé un petit héritage. Au lieu d'investir sagement cet argent, il a préféré le dépenser en places d'opéra. C'est bien triste à dire, car c'était par ailleurs un homme raisonnable.

– Eward a alors été sauvagement assassiné dans son nid d'amour. Après sa mort, qui a repris ses dossiers ici ?

– Andrew Burnham, en sa qualité de chef de service. Mais ce n'était pas le supérieur hiérarchique d'Eward.

– Je sais que cela peut paraître curieux de demander s'il existe des « procédures habituelles » en cas de meurtre, mais est-ce bien normal que le chef d'un autre service se soit chargé des dossiers d'Eward, après sa tragique disparition ?

– Tragique ? Absolument pas ! C'est la volonté de Dieu.

– Sans doute, mais Andrew Burnham ?

– Andrew Burnham a simplement voulu nous aider à faire face à cet imprévu. Rien ne le lui interdisait. Son propre service venait de boucler son budget. Connaissant bien les dossiers, il nous a donné un coup de main pour remettre de l'ordre dans nos livres de comptes, ce qui est bien naturel.

– Je vois, je vois. À quoi correspondent ces livres de comptes ? Vous y consignez les dépenses à venir ? Quels étaient les budgets concernés ? Vous me pardonnerez la sottise de ces questions, monsieur, due à mon ignorance de profane. Je m'efforce simplement de bien comprendre toutes ces choses, qui sont tellement éloignées de mon cabinet de consultation et de mes malades.

– Les budgets concernés ? Voyons voir, ces budgets…

– … ne vous regardent pas ! M'Dougal, est-ce dans vos habitudes d'inviter tous les curieux qui traînent dans les couloirs à venir fouiner dans nos livres de comptes ? Ne le prenez pas mal, messieurs, mais tout ceci est complètement irrégulier ! Vous n'avez rien à faire ici et j'exige que vous sortiez immédiatement ! Quant à vous, Mr M'Dougal, veuillez retourner à votre bureau.

M'Dougal jeta un coup d'œil à Bell, émit un petit couinement, puis s'en fut sans demander son reste, semant dans le couloir des formulaires administratifs échappés à la pile coincée sous son bras. Nous entendîmes une porte claquer au loin.

24

– Ai-je bien l'honneur de m'adresser à Mr Andrew Burnham, administrateur en chef du Trésor public ?

– Qu'est-ce que cela peut vous faire, monsieur ?

– Je présume donc que oui.

Ceci eut le don d'augmenter encore l'irritation du bureaucrate, qui nous toisa d'un air furieux en fronçant les sourcils. Je restai coi, incapable de trouver les mots susceptibles d'amadouer Burnham, Bell se contentant pour sa part de l'observer tranquillement. Bien habillé, le jeune homme avait les cheveux roux et des traits plutôt agréables, malgré son expression peu amène, manifestement héritée de son père. Très mince pour sa taille, qui devait approcher le mètre quatre-vingts, il possédait une grande assurance, dont il venait d'ailleurs de nous faire la démonstration. Il portait un manteau sombre à la dernière mode, brossé de frais, comme s'il s'apprêtait à sortir quand on l'avait prévenu de notre visite à John

James M'Dougal. J'avais la vague impression de l'avoir déjà vu. Puis je me souvins du petit groupe d'étudiants ivres qui nous avait accostés, Graeme Lambert et moi, à la sortie du Rutherford's. Il se trouvait parmi eux.

Bell se présenta à Burnham puis, se tournant vers moi, apprit poliment mon nom au jeune fonctionnaire, qui contenait sa fureur, les poings serrés.

– Nous cherchons désespérément un moyen de sauver le jeune Lambert. Vous comprenez, c'est une question d'heures, à présent. Vous pourriez vous-même nous apporter une aide précieuse. Nous avons bien conscience de contrevenir au règlement de vos services, mais une vie est en jeu…

– Vous êtes ce docteur qui pose des questions à tout le monde ? Celui-là même que la police veut interroger sur le meurtre de l'inspecteur Webb ?

– C'est bien moi, monsieur. Je compte me livrer à la police, mais seulement quand j'aurai réussi à sauver le jeune Lambert ou échoué à empêcher le bourreau d'accomplir son devoir macabre. Et vous, plus que quiconque, pouvez m'aider dans ma tâche, monsieur. C'est à vous de décider.

– C'est non seulement contre tous nos règlements, mais surtout parfaitement illégal. En vous aidant, je me rendrais aussi coupable que vous.

– Monsieur, je vous promets de remettre mon sort entre vos mains, dès que cette histoire sera terminée, quelle qu'en soit l'issue, échec ou réussite. Peu importe. Je suis prêt à en assumer toutes les conséquences. Mon ami Doyle voudra peut-être d'ailleurs s'associer à ma promesse. C'est un marché honnête. Que souhaitez-vous de plus ?

– Mr Burnham, enchaînai-je, il paraît que vous êtes un gentleman sportif. Nous respecterons les règles du jeu, si vous êtes beau joueur. Que nous perdions ou gagnions la partie, vous avez notre parole que nous reviendrons la terminer ici, ou à l'endroit qu'il vous plaira. Rappelez-vous que l'homme assassiné était l'un de vos collègues.

Burnham nous considéra tour à tour, son regard passant de l'un à l'autre. Après un long silence, il se décida à parler :

– Un collègue, vous dites. Gordon Eward était plus que ça, c'était un ami.

– Vous acceptez de nous aider, alors ?

– Je ferai mon possible. Je ne tiens pas à voir mourir un innocent, si cet homme a effectivement été condamné à tort. En quoi puis-je vous aider ?

– Magnifique ! s'écria Bell. Magnifique ! Vous connaissiez bien Eward Gordon ?

– Cela fait des années que nous travaillons ensemble, enfermés dans les mêmes bureaux. Je partageais sa passion pour la musique et nous allions souvent au concert ensemble. Nous avons inventé des techniques comptables qui permettaient d'alléger notre charge de travail. Il était très doué pour les chiffres, Dr Bell, mais…

– Oui ?

– Peut-être un peu trop doué, en vérité. Je ne sais

pas pourquoi il avait besoin de tout cet argent. Je ne sais pas quand il a commencé…

– Que voulez-vous dire, Mr Burnham ?

– J'ai dû faire le ménage dans le fatras financier qu'il nous a laissé. Il y avait toutes sortes d'irrégularités dans ses livres de comptes, des fonds manquaient, certains retraits n'avaient pas été recouverts. J'ai aussi découvert qu'il avait investi beaucoup d'argent dans la Compagnie d'exploitation du Pont de la rivière Tay. Cela finira par générer de gros bénéfices, mais le pont n'est en service que depuis seize mois.

– Vous avez découvert tout cela ? Qui d'autre est au courant ?

– J'ai directement transmis ces informations au procureur.

– À votre père. Et qu'a décidé sir William ?

– Les sommes manquantes ont été chiffrées. À cause de sa mort inopinée et de l'enquête de police, il a été décidé que le déficit serait renfloué par les excédents d'autres services affichant un bilan meilleur que prévu. Ces détournements représentent beaucoup d'argent, à l'échelle d'un individu comme vous et votre ami ici présent. Mais rapporté à la totalité des recettes générées par l'impôt, la perte était somme toute assez dérisoire. Soit environ 200 000 livres. Le budget de mon propre service s'élève à plusieurs fois ce montant. En épongeant les pertes, nous avons agi comme la Lloyd's de Londres le fit en son temps lors du scandale de Langham : nous avons jugé préférable de ne point salir la mémoire du défunt, car ce malheureux n'était poussé que par le désespoir. C'était un acte de charité de notre part.

– D'autres personnes sont au courant ?

– Le commissaire de police adjoint, Mr M'Sween. Peut-être l'inspecteur Webb le savait-il aussi. Je l'ignore.

– Mais personne d'autre, ici, ne sait que vous avez trafiqué les comptes ? Pas même Mr M'Dougal, qui nous a reçus tout à l'heure ?

– Certainement pas ! Nous avons pris quelques libertés avec la comptabilité à seule fin d'apporter une solution humaine et chrétienne à un problème qui, de toute façon, ne risque pas de se reproduire. C'était irrégulier, j'en conviens, et ça l'est toujours, mais, bon sang ! Si c'était à refaire, je le referai sans hésiter, docteur.

– Et c'est tout à votre honneur, Mr Burnham. Est-ce que, par hasard, vous connaîtriez le mari de Mlle Clery, un certain Mario Cabezon ?

– Je ne me doutais pas le moins du monde que cette dame était mariée.

– Elle l'était pourtant. Son veuf réside à Dewar Place, pas très loin de la maison où les meurtres ont été commis.

– Je ne me souviens pas que les comptes rendus d'audience aient fait mention de son époux.

– Une petite omission parmi tant d'autres, Mr Burnham. Je ne vais pas vous retenir plus longtemps. Il nous reste beaucoup à faire et le temps nous est compté. Venez, Doyle. Nous n'avons pas une minute à perdre.

– Dr Bell ? Je vous délivre de la promesse que vous m'avez faite dans cette pièce. Et je vous souhaite de réussir dans votre entreprise. Dieu vous protège !

Nous repartîmes vers l'ouest de la ville, en passant par Lawnmarket puis Johnston Terrace, contournant le château juché sur sa butte. Moins de vingt minutes plus tard, nous étions à Dewar Place. L'endroit était un bel exemple de l'architecture georgienne de la ville nouvelle, malheureusement gâchée par la voie ferrée, qui passait au bout de la rue. Avant, c'était un quartier chic, mais aujourd'hui, seule la partie sud avait conservé un peu de son cachet. L'adresse de Mario Cabezon que nous avions trouvée dans le Bottin était celle d'un immeuble à la façade crasseuse, noircie par quarante années de trafic ferroviaire. Nous déchiffrâmes sans peine son nom sur la plaque de cuivre à l'entrée, malgré l'oxydation verdâtre dont elle était recouverte :

Signor Mario Cabezon
Ex-sociétaire de La Scala de Milan
Professeur de chant
2e étage

Une balustrade incurvée, très abîmée par la suie, encadrait les marches du perron. Les serrures de la porte d'entrée semblaient avoir été souvent remplacées au cours de ces dix dernières années.

À l'intérieur, il flottait des odeurs désagréables de

cuisine et cela sentait le brûlé dans l'escalier. La splendide rambarde à la courbe élancée, au lieu d'atténuer ces impressions défavorables, ajoutait à la digne pauvreté émanant de l'immeuble. Au deuxième étage, un carton punaisé sur le mur signalait la porte de Cabezon, une belle porte bien solide, qui semblait avoir échappé à la décrépitude générale.

Mon ami frappa trois coups avec sa canne. Un bruit de pas se fit entendre à l'intérieur, bientôt suivi du cliquetis des verrous, apparemment nombreux. Quand le battant pivota sur ses gonds, quelle ne fut pas notre surprise ! Nous nous attendions à voir surgir un visage à la hauteur du nôtre dans l'embrasure de la porte, mais il nous fallut baisser les yeux pour découvrir celui de notre hôte : il faisait une tête de moins que nous. L'homme ne devait pas dépasser le mètre cinquante-cinq. Son visage n'était pas laid, malgré ses traits anguleux et l'expression inquiète de ses yeux noirs et caves. Il avait des cheveux noirs et brillants comme du jais, un grand front, et son physique, dans l'ensemble, le faisait paraître plus grand qu'il ne l'était. Il portait un appareil orthopédique à la jambe gauche.

– Bonjour, messieurs ! Signor Mario Cabezon. À qui ai-je l'honneur ? s'enquit-il sans la plus petite pointe d'accent.

Le professeur de chant arborait une expression méfiante qui contredisait la suavité de sa voix. Il parlait avec la même intonation guindée que les distingués banquiers de Charlotte Square, entre autres.

Mais en y réfléchissant, je finis par trouver logique qu'un homme sensible aux nuances musicales de la voix eût commencé par travailler sa propre intonation pour remédier à son accent étranger. Comme il s'effaçait pour nous permettre d'entrer dans la pièce principale de l'appartement, je vis qu'il avait également imité les banquiers écossais dans un autre domaine : l'ensemble du mobilier, de l'immense piano à queue, près des fenêtres, aux miroirs à dorures, en passant par les tapisseries et les tapis, tout reflétait l'aisance bourgeoise, ou du moins les goûts conservateurs du maître de maison, dont les biens eussent fait honneur à un restaurateur d'art et de meubles du siècle dernier.

Bell fit les présentations et lui exposa le but de notre visite. Cabezon nous invita à nous asseoir sur un divan qui semblait avoir été inspiré par Hepplewhite ou Sheraton. Une domestique noire vint prendre ses instructions et revint quelques minutes plus tard, avec un plateau pour le thé. Sans même attendre que le thé soit servi, notre hôte voulut en savoir plus :

– Alors, en quoi puis-je vous être utile, messieurs ?

– Signor Cabezon, commença Bell, pardonnez mon indiscrétion, mais comment se fait-il qu'un professeur de chant italien, installé à Édimbourg, porte un patronyme espagnol ?

– Ah ! Désirez-vous le récapitulatif complet des multiples et tortueuses ramifications de mon arbre généalogique, ou vous suffira-t-il de savoir que ma famille est devenue italienne à la Renaissance ? Un de mes lointains ancêtres a même été l'élève d'Il Perugino, le peintre.

– Simple curiosité de ma part, veuillez m'excuser.

– Inutile de vous excuser, Dr Bell. Je suis seulement étonné que vous ayez reconnu les origines hispaniques de mon nom. Je suis le descendant d'un musicien espagnol du XVIe siècle.

– Oui, cet organiste aveugle que l'on surnomme aujourd'hui « le Bach espagnol ». Mais dites-moi, signor Cabezon, la police vous a-t-elle posé des questions sur le meurtre de votre défunte épouse ?

– J'ai été interrogé par un inspecteur de police du nom de Bryce, environ deux semaines après l'assassinat d'Hermione.

– Avez-vous eu d'autres contacts avec des gens de la police depuis ?

– Non, aucun. Mais étant le mari de la femme assassinée et, de ce fait, l'ennemi naturel de son amant, l'autre victime, je pensais qu'on allait me jeter en prison sur-le-champ.

Signor Cabezon servit à chacun une tasse de thé, collation en parfaite harmonie avec le cadre. Il ne nous manquait plus que des perruques poudrées pour parfaire le tableau.

– Quels étaient vos rapports avec Mlle Clery depuis son arrivée dans cette ville ?

– Je n'en avais aucun. Elle a obtenu notre séparation légale, l'année dernière, à Londres, et j'ai été condamné à ne plus l'approcher. Je suppose que le jugement vaut dans le Nord comme dans le Sud.

– Et vous avez accepté cela ?

– Non. Pas du tout. Certainement pas. Mais une accumulation de faits finit par convaincre le plus borné des imbéciles. Alors vous vous rendez à l'évidence : votre femme ne se plaît plus en votre compagnie. Cette idée a fini par s'imposer à moi et chacun a refait sa vie de son côté.

– Mais vous avez continué à la suivre !

– J'ai continué à suivre l'opéra, docteur. Je gagne ma vie grâce à l'art lyrique. J'ai suivi cette compagnie parce que j'ai depuis longtemps des liens avec les membres de la troupe. Feu ma chère épouse s'est peut-être flattée de croire que je continuai de lui courir après. La vérité est plus triviale : je n'ai fait que courir après mon commerce. Je mène une vie de bohème, Dr Bell. Je repartirai avec la compagnie à la fin de la saison lyrique, sauf afflux imprévu d'élèves dans cette ville.

– Pourtant, signor, à voir ce petit coffre-fort contre le mur – plutôt insolite dans une pièce comme celle-ci – vous semblez être moins bohème que vous voulez bien le dire.

– Ah ! Vous avez découvert mon petit vice. Oui, je boursicote un peu. À ma modeste échelle, bien sûr. Je ne suis pas un Baring[1], loin s'en faut ! Mais je me suis constitué un petit portefeuille d'actions qui finira peut-être par valoir quelque chose. En attendant, je ne roule pas encore sur l'or.

---

1. Illustre famille de banquiers britanniques. (NdlT)

– Pouvez-vous me dire quels sont exactement les titres et valeurs que vous détenez, signor ?

– Si vous y tenez. Mais je n'en vois pas l'intérêt.

Cabezon se leva de sa chaise et se dirigea vers le coffre dont il souleva le couvercle métallique. Il énuméra les noms de plusieurs sociétés bien connues et d'un certain nombre d'autres dont j'ignorais totalement l'existence. Un nom retint plus particulièrement mon attention, car c'était la deuxième fois que je l'entendais aujourd'hui : la Compagnie d'exploitation du Pont de la rivière Tay.

– J'en ai acheté 10 000 actions, nous avoua le professeur de chant.

– Puis-je vous demander qui vous a conseillé d'investir dans cette société ?

– En fait, c'est à l'opéra, dans la Salle Verte, que j'en ai entendu parler. Je ne sais plus qui y avait fait allusion, mais je puis vous affirmer que ce n'était pas Hermione. Elle n'aurait pas su faire la différence entre une action et une procuration, Dr Bell.

– Je vois, je vois. Pouvez-vous me donner le nom de votre courtier, signor ? Il se pourrait que je me mette à spéculer, moi aussi.

Cabezon inscrivit un nom sur un bout de papier à musique et le tendit à Bell. Ce dernier se contenta d'y jeter un œil et de le ranger soigneusement au fond de l'une de ses poches intérieures.

– À votre avis, signor Cabezon, Alan Lambert a-t-il assassiné Mlle Clery et son amant ?

– Il m'est bien difficile d'avoir un avis. Je n'ai

jamais rencontré ce Lambert. La justice dit que oui. Moi, je ne suis qu'un humble professeur de musique, et je me contente de croire ce qu'on me dit. À quoi cela leur servirait-il de condamner un innocent ?

– Oui, à quoi cela leur servirait-il ? répéta mon ami.

25

En partant de chez Cabezon, nous passâmes devant la maison où le double meurtre avait été commis. Je constatai par moi-même que le mari présumé innocent habitait effectivement tout près de son épouse. Quel crédit accorder à la plate confession de Cabezon, prétendant qu'il avait tourné la page, que la passion « c'était du passé » ? Je posai la question à Bell tout en marchant à grandes enjambées, tête baissée.

– « Un mari dont la femme ne se plaint pas est au paradis », répondit-il. Non, il était trop froid, trop impassible, je n'y crois pas, Doyle. S'il l'a sincèrement aimée, comment peut-il avoir éteint toute émotion en lui ? Il prétend qu'elle ne lui inspirait plus qu'indifférence : comment est-ce possible ? Voilà qui remet en cause tout ce que je croyais savoir sur les choses du cœur. Ou alors je n'y comprends rien, mais vous non plus. Il faut croire que ces choses-là nous dépassent tous les deux.

Secouant la tête, il continua à marmonner dans sa barbe et noua ses mains dans le dos. Nous tournâmes dans Morrison Street, cherchant un fiacre des yeux.

Mais nous dûmes marcher jusqu'aux environs de West Port avant de réussir à en arrêter un. Bell demanda au cocher de nous conduire à Lothian Street, mais d'y passer sans s'arrêter. Quand le fiacre tourna dans la rue, nous vîmes aussitôt que le domicile du Dr Bell était surveillé. Une brute en manteau noir montait la garde exactement au même endroit que l'espion de Webb quelques jours plus tôt et un autre homme faisait le guet devant la maison. Ils étaient tous deux en civil, figés dans la même posture. Même un enfant attardé ne s'y serait pas laissé prendre. Avec une pancarte marquée « police » autour du cou, ils n'auraient pas été plus visibles. Bell donna alors mon adresse au cocher. Le cheval poursuivit sa route au trot et ne s'arrêta pas devant chez moi non plus, pour la même raison.

– Je suis prêt à parier que l'université et mon propre dispensaire sont pareillement surveillés, Conan. Il ne faudrait pas que nous nous fassions capturer, car je crois avoir trouvé le moyen de remplir les conditions qui nous ont été fixées à York. J'ai l'impression que le rideau ne va pas tarder à se lever sur le dernier acte de cette tragédie. Et j'ai hâte de voir comment les différents acteurs vont interpréter leur rôle.

– Au théâtre, docteur, les acteurs savent à l'avance leur texte. Pour nous c'est plus difficile, nous devons constamment improviser.

– Ce n'est pas tout à fait vrai, mon ami. Ces dernières semaines, nous avons appris tout ce que nous avons besoin de savoir ou presque. Et puis nous connaissons déjà la fin de l'histoire.

Cette dernière phrase me causa une telle surprise, que la question qui me brûlait les lèvres devait pouvoir se lire sur mon visage avant même que je ne la prononce.

– Vous connaissez la fin ? Vous savez donc qui a assassiné Mlle Clery et son ami ?

– Bien sûr. Pour qui me prenez-vous ? Pour un demeuré ? D'ailleurs, vous pourriez probablement me donner, vous aussi, le nom du coupable, après avoir récapitulé l'ensemble des choses que nous savons. D'autant que c'est vous qui avez fait le plus gros du travail. Moi, c'est à peine si j'ai mis le nez hors de mon cabinet ou de mon bureau.

– Pourtant, docteur, j'arrive vraiment pas à deviner qui c'est, le coupable ! répondis-je, oubliant, dans mon émoi, les règles élémentaires de syntaxe.

– Quand je vous l'aurai dit, vous me répondrez : « Mais oui, c'est évident ! Comment pourrait-il en être autrement ? » Vous savez observer, mon ami, mais aussi voir, contrairement à nombre de soi-disant observateurs. Mais vous devriez aussi apprendre à vous laisser guider par les faits, pour remonter jusqu'à la seule et unique combinaison possible permettant d'emboîter chacune des pièces du puzzle.

– Un puzzle ? Ce n'est donc que cela pour vous, docteur ? Un puzzle ? Une aimable distraction comme une partie d'échecs ou un problème mathématique ?

– Pour voir juste, Doyle, il faut d'abord voir clair. Pour ce faire, oubliez votre colère et vos habitudes de raisonnement. Ne tenez rien pour acquis avant de l'avoir démontré. Procédez par élimination logique : le coupable pourrait être vous ou moi, jusqu'à preuve du contraire. Toutes les personnes que nous avons rencontrées ont pu commettre ce crime. Écartez donc chacune de ces possibilités, en les examinant cas par cas.

– Et maintenant, où allons-nous ? lui demandai-je, faute d'avoir trouvé la réponse à la question que je mourais d'envie de lui poser et ne sachant pas non plus comment lui tirer les vers du nez.

– Vous saurez tout en temps utile, m'affirma-t-il.

Sur ce, il jugea que la discussion était close et s'adressa au cocher, me causant une nouvelle surprise :

– Conduisez-nous au bureau de Donald Webster à North Bank Street !

Il venait de sortir de sa poche le bout de papier sur lequel Cabezon lui avait noté l'adresse du courtier en Bourse.

J'attendis Bell dans le fiacre. Il s'engouffra dans une officine ne payant guère de mine, signalée par une enseigne qui battait dans le vent, du côté gauche de la porte. Il n'y resta que dix minutes. Après le courtier, nous allâmes à Grassmarket, où se trouvait le bureau d'un certain Henry Burgoyne. Mais Bell, au lieu de descendre, resta avec moi dans le fiacre stationné au bord du trottoir, avec l'air d'attendre quelque chose. Un petit messager arriva bientôt en courant dans la rue. Il faillit dépasser la porte, mais se précipita finalement à l'intérieur et ressortit moins de deux minutes plus tard, une pièce brillante de six pence à la main. Bell se décida alors à ouvrir la portière. Cette fois, il me demanda de l'accompagner et pria le cocher de bien vouloir nous attendre.

Burgoyne était membre du comité directeur de la Compagnie d'exploitation du Pont de la rivière Tay, m'apprit Bell, tandis qu'une petite employée allait prévenir son patron de notre arrivée.

– Mr Thompson et Mr Blanchard ! Soyez les bienvenus, messieurs. On vient seulement de m'informer de votre passage dans notre ville. Vous êtes en quête de bons placements, paraît-il ? Voici mon associé, David M'Clung.

Le visage qui venait de s'encadrer dans l'embrasure de la porte était celui du jeune homme blond sans chapeau qui nous avait interpellés quelques jours plus tôt, Graeme Lambert et moi, à la sortie du Rutherford's. Après avoir échangé des poignées de main et déploré le mauvais temps, l'on nous convia poliment mais fermement à entrer dans le bureau de la direction, où Burgoyne traitait ses affaires.

– Messieurs, puis-je vous offrir un petit verre pour vous faire oublier les rigueurs de la saison ?

– C’est très aimable à vous, Mr Burgoyne, mais ce ne sera pas nécessaire, dit Bell d’une voix plus grave qu’à l’accoutumée. En revanche, Mr Blanchard et moi-même vous saurions gré de bien vouloir nous communiquer la liste des investisseurs qui ont pris le risque de financer le projet du Pont de la Tay.

– Ah ! Ah ! La Compagnie d’exploitation du Pont de la rivière Tay ! Sachez que ce n’est plus un projet, messieurs. Cela fait plus d’un an qu’il est opérationnel. Les risques étaient nombreux, il est vrai, mais ils appartiennent au passé désormais.

Après moult palabres avec l’onctueux Mr Burgoyne et l’obséquieux Mr M’Clung, nous finîmes par obtenir la liste demandée. Bell jeta un œil sur les noms qu’elle contenait, puis réclama une plaquette d’information sur la compagnie, après quoi, munis du document, nous retournâmes à notre fiacre. Burgoyne observa notre retraite sur le pas de la porte, s’essuyant le front avec un grand mouchoir rouge. Son associé vint le rejoindre. Il était difficile de dire lequel des deux était le plus surpris par la brièveté de notre visite.

– Prochain arrêt : la gare de Waverley ! claironna Bell à l’intention du cocher. Nous devons être à l’arrivée du train du Sud.

À l’entendre, on aurait pu croire qu’il avait appris par cœur l’indicateur Bradshaw des chemins de fer.

Il se renfonça dans son siège et me jeta un regard satisfait. Perplexe, déconcerté, j'avais l'impression qu'il prenait un malin plaisir à me faire languir.

– Mon cher Doyle, nous sommes surveillés. Il y a des espions à chaque coin de rue, dans tous les lieux que nous avons l'habitude de fréquenter. Le commissaire a même dû envoyer un de ses hommes au Rutherford's. Or nous devons malgré tout accomplir notre mission, c'est une question de vie ou de mort. J'ai donc l'intention, si vous êtes d'accord, de confier notre destin à celui qui fait figure d'autorité suprême en la matière : nous allons remettre notre sort entre les mains de l'homme qui est officiellement mandaté pour trancher le fil de la vie. Ce que je vous propose, c'est d'aller à l'arrivée de ce train et de rencontrer Mr Marwood, de Horncastle.

– Le bourreau ? fis-je, n'en croyant pas mes oreilles.

– Lui-même, dit Bell.

26

La gare de Waverley était bondée. Pleine de bruit, de vapeur, de suie, avec cette forte odeur de goudron et cette étrange lumière vive typique des gros terminus ferroviaires. Bell consulta le tableau d'arrivée et acheta deux tickets de quai. Nous pûmes alors gagner la voie où le train de Londres venait juste d'arriver, dégorgeant sa cargaison humaine de voyageurs, qui se jetaient dans les bras d'êtres chers, parents ou proches.

– Venez ! me lança Bell en se dirigeant vers la queue du train. Le train était complet en partant de Londres, on lui a ajouté le dernier wagon de troisième classe ensuite. Marwood est monté à Sheffield, après avoir fait le trajet Horncastle-Lincoln et Lincoln-Sheffield. Il a probablement dû s'installer dans la voiture vide. Je suppose que le ministère de l'Intérieur le fait voyager en seconde classe, mais il a dû échanger son billet contre un billet de troisième pour empocher la différence. Un sou économisé, c'est un sou de gagné, à ses yeux.

– Vous connaissez cet homme ?

– Les gens qui font sa connaissance ne vivent pas longtemps. Ah ! Là, regardez, c'est sûrement lui. L'homme à la sacoche, avec ce garçon qui le suit, probablement son assistant, un débutant, sauf erreur de ma part. À en juger par ses habits, il vient des Midlands. Ah ! Notre homme vient de fourrer un de ses fameux bonbons à la menthe dans sa bouche. Plus de doute, c'est lui !

Le voyageur que Bell avait repéré dans la foule devait avoir la quarantaine et son visage un peu rougeaud n'avait rien de patibulaire. Une impressionnante chaîne de montre barrait sa large poitrine et, avec son chapeau fatigué, sa cravate noire coquettement nouée et sa redingote, il ressemblait vaguement – à mes yeux d'Écossais – au défunt prince consort. Il guidait son assistant, qui portait une toute petite valise et semblait n'être jamais parti loin de chez lui, en tout cas pas au-delà de la grosse bourgade la plus proche où avait lieu le marché : il ne cessait de cligner des yeux, ébahi par l'immensité de la gare. J'emboîtai le pas à Bell qui s'avança vers eux.

– Mr Marvood, je présume ? fit-il en soulevant son chapeau.

– Si c'est le cas, à qui dois-je cet accueil ? Si toutefois vous êtes bien venu m'accueillir.

– Oh, mais oui ! Soyez le bienvenu à Édimbourg,

Mr Marwood. Et votre assistant aussi. Mon nom est Bell, Dr Joseph Bell, et voici *mon* assistant, Conan Doyle, qui sera bientôt médecin lui aussi.

– Voici Jack… Comment faut-il vous appeler, Jack ?

– Jack Dawes, Mr Marwood. Ça n'a rien à voir avec mon vrai nom, mais c'est plus facile à se rappeler.

Marwood sourit à son assistant avant de se retourner vers Bell.

– Est-ce le directeur de la prison qui vous envoie, docteur ?

Bell sourit et inclina la tête d'une façon qui pouvait vouloir dire oui. Marwood se tourna alors vers son assistant avec un grand sourire :

– Vous voyez, Jack ! On sait recevoir les gens, en Écosse !

Nous longeâmes la voie tout en parlant, rendîmes nos tickets de quai à la sortie et conduisîmes Marwood et son assistant à la voiture que nous avions louée.

En chemin, je remarquai qu'un troisième individu nous avait discrètement emboîté le pas. Je ne savais pas s'il était descendu du train, mais il avait l'air de connaître Marwood. Bell ne lui prêta toutefois aucune attention. Alors que nous montions dans notre fiacre, l'inconnu héla un autre qui venait de déposer trois jeunes dames endeuillées. Quand notre cocher fit partir ses chevaux, l'autre fiacre, tiré par un cheval noir et blanc, fit demi-tour et se mit à nous suivre à une courte distance.

– Messieurs, vous ne serez guère étonnés si je vous dis qu'il est très rare que l'on réserve un accueil aussi aimable que le vôtre à un homme de mon métier. Il n'y a pas très longtemps, un inconnu que l'on avait pris pour moi, à Norwich, a même été jeté dans une mare. Il a poursuivi en justice les chefs de la bande pour agression et diffamation. L'avocat de la défense a fait valoir dans son plaidoyer que le terme de bourreau ne pouvait pas être considéré comme diffamatoire, au motif que le bourreau occupe, comme le juge, une importante fonction civique. Malheureusement, la cour a estimé qu'il était absurde de présenter le travail du bourreau comme une branche de la magistrature, et s'en est tenue à des dommages et intérêts pour voie de fait. À mes yeux, messieurs, le bourreau, ou plutôt l'exécuteur, je préfère ce terme, est logé à la même enseigne que les juges, magistrats et autres représentants du système judiciaire de ce pays, quoi qu'en dise ce juge de Norwich. Il est terrible de constater qu'un juge, pourtant investi du pouvoir de condamner un homme à mort, préfère garder ses distances avec celui qui a la triste besogne d'exécuter sa sentence. C'est vraiment très irritant.

De temps à autre, Marwood fourrait un nouveau bonbon à la menthe dans sa bouche. Chaque fois, il nous en offrait, présentant son sachet à la ronde, puis le remettait au fond de l'une des immenses poches extérieures de son manteau. Il nous fit quelques remarques sur le temps, notant qu'il commençait à faire très froid. Jack Dawes me contemplait d'un air méfiant, dont il ne voulut point se départir, malgré mes sourires encourageants. Au bout d'un moment, il détourna la tête pour regarder par la fenêtre.

Bell se mit à interroger le bourreau sur ses voyages. Il lui demanda s'il venait souvent en Écosse et se lança dans un éloge dithyrambique, qui ne lui ressemblait guère, de la bière écossaise, vantant son excellence. Nous découvrîmes bientôt que Marwood se flattait d'être un fin connaisseur en la matière, appréciant les bières de qualité. Avant que je comprisse vraiment ce qui se passait, il fut décidé de faire un arrêt à la taverne du *Juge Emperruqué*, pour goûter les meilleures bières des brasseurs écossais. Marwood, bien qu'il arborât fièrement le ruban bleu des abstinents sur le revers de sa redingote, semblait enchanté par la proposition, qu'il accueillit avec enthousiasme. En présente compagnie, si loin de Horncastle et du comté de Lincoln, il ne fallait probablement pas prendre ce ruban trop au sérieux. Il se contenta de jeter un coup d'œil discret à sa montre et ouvrit grand ses oreilles quand Joe Bell commença à lui parler de Rose Street et de ses débits de boisson. J'ignorais que ce domaine de connaissance faisait également partie du vaste savoir de mon ami. Il nous montra le tripot où, autrefois, les prostituées monnayaient leurs services ; celui où « Maggie la demi-pendue » racontait à qui voulait l'entendre l'histoire de son incroyable résurrection ; pour finir, il arrêta le fiacre devant une porte patinée par l'âge et nous emmena dans la taverne où Burke et Hare venaient boire leur argent mal acquis.

– Burke et Hare vendaient des cadavres au Dr Knox pour ses cours de dissection, Mr Marwood. Dans cette taverne, ils se partageaient les bénéfices de leur commerce nécrophage. Au début, ils lui rapportaient les corps de malheureux trouvés morts dans les venelles et courettes de la vieille ville, ou déterrés au cimetière de Greyfriars. Puis ils se mirent à le fournir en macchabées fraîchement occis de leurs propres mains. C'était un commerce très profitable. Le tristement célèbre Dr Knox les payait grassement, Mr Marwood. Si vous saviez comme il est difficile de se procurer un cadavre pas trop décomposé, même de nos jours !

Marwood et son jeune assistant buvaient ses paroles comme s'ils ne s'étaient jamais trouvés en meilleure compagnie que la nôtre.

Dans la taverne, Bell commanda des quarts de pinte, afin que Marwood pût bien apprécier la différence entre chaque bière.

– Celle-ci, mes amis, a une couleur sombre, d'un brun noisette, c'est une bière qui n'est brassée qu'en toute petite quantité pour un clan de nobles Écossais. Si quelques fûts arrivent ici, c'est en mémoire d'un service rendu lors du Soulèvement de 1745, une histoire romantique entre une Jacobite et son amant georgien. Personne ne connaît cette bière, à part quelques amateurs éclairés. Ah ! Mais la suivante, c'est la reine des bières, pourrait-on dire. Elle a été couronnée par de nombreux prix aux foires internationales de Copenhague, Munich et Chicago. Elle a même reçu des médailles à l'Exposition universelle !...

Et il continua à discourir ainsi sans s'arrêter, tandis que Marwood et son associé dégustaient leurs quarts de pinte, bière après bière, sans bouder leur plaisir. Le bourreau était plus affable que jamais. Il vida tous les verres qu'on lui servit, accompagnant chaque dégustation d'un commentaire pertinent. Il nous chanta même une chanson comique reprise dans les music-halls d'Angleterre, dans laquelle son nom revenait à chaque couplet.

– Je vais vous en raconter une bien bonne, messieurs, nous dit-il en se levant à demi. C'est une blague qu'on a pu entendre au Palladium de Londres : « Si papa a tué maman, qui devra tuer papa ? » Vous connaissez cette devinette ? Je parie que non. La réponse est : Marwood !

Et il hurla de rire. Sa gaieté tonitruante, contagieuse dans cette atmosphère d'ébriété, se répercuta aux quatre coins de la taverne.

– Mr Marwood, vous avez peut-être entendu parler de mon confrère irlandais, le révérend Samuel Haughton, docteur en médecine, membre de l'Académie des sciences et professeur au Trinity College de Dublin. Il est l'auteur d'un petit traité technique et physiologique sur la pendaison.

– Oui, je me souviens l'avoir feuilleté. Il était rempli de formules mathématiques très compliquées : des équations avec des fractions, des racines carrées, et cætera. Moi, vous savez, je n'aime que l'arithmétique simple. Tous ces x, ces y et ces z, je les laisse volontiers à votre révérend. D'ailleurs, les Irlandais, je m'en méfie : ils sont toujours à faire des manigances dans votre dos. Une fois, à la prison de Kilmainham…

Et Marwood de nous raconter une anecdote qui s'était passée en Irlande, enchaînant ensuite avec une série d'autres histoires qui nous firent faire le tour des îles britanniques. Chaque fois, cela avait trait à la mort et à la potence. Pourtant, Marwood réussissait à nous faire vraiment rire.

Bell fit goûter au bourreau et à son compagnon de nouvelles bières, ale ou porter, sans cesser de commenter les qualités de chacune des marques proposées. Cela faisait un moment que je n'essayais plus de les imiter. Malgré mes penchants estudiantins pour l'alcool, j'aurais fini par rouler sous la table et je me serais endormi dans la sciure pour de longues heures. Joe et l'homme de Horncastle, eux, continuaient à vider leurs quarts de pinte sans faiblir, s'amusant même à boire leur verre ensemble, le bras passé autour du bras de l'autre. Au bout d'un moment, Marwood commença à donner quelques signes de fatigue : les traits tirés, les paupières lourdes, il avait parfois du mal à garder les yeux ouverts. Ceux de Jack Dawes, l'assistant, étaient clos depuis longtemps. Avachi sur son banc, il avait sombré dans un profond sommeil, indifférent aux peines et joies à venir.

– Ah, mon ami ! lança Bell au bourreau. Il serait dommage d'avoir fait tout ce chemin depuis Horncastle pour ne goûter que nos bières écossaises, alors que nous sommes de grands amateurs de whisky. Vous savez, on ne se contente pas de brasser le malt, ici. N'avez-vous jamais goûté le plus exquis des produits de distillation qui soit au monde ? Son parfum évoque la bruyère des bois et la tourbe des vallons. Sa saveur, à elle seule, transforme un homme sérieux et rationnel en prophète, en poète, en chantre de l'amour, de la vie et de la beauté. Mr Marwood, ce dont je vous parle, c'est le single malt. C'est un breuvage des plus rares dans les contrées d'où vous venez. On lui donne le nom de whisky dans le Sud, mais c'est bien plus que cela. Laissez-moi vous le faire découvrir. Plus tard, vous vous souviendrez avec émotion du petit médecin qui vous aura ouvert les portes de ces bonheurs élyséens…

Il fit signe au patron de venir et, déployant tout son charme, commanda cérémonieusement le meilleur whisky de la maison. Quand il arriva, nous levâmes tous nos verres – à l'exception du jeune Dawes – en l'honneur des visiteurs du Sud. Le bourreau trinqua en retour à notre politesse et notre gentillesse. Après avoir vidé son verre, Marwood devint blanc comme un linge. Il se leva brusquement, bousculant la table avec son gros ventre. Je crus tout d'abord qu'il voulait porter un nouveau toast, mais non, il essayait tout simplement d'enjamber son compagnon endormi pour aller aux toilettes. Zigzaguant dans la direction que je lui avais indiquée, il traversa en titubant la salle bondée, renversant au passage une chaise ou deux. Il n'avait pas plus tôt disparu que Bell bondit sur ses pieds :

– Vite, Doyle ! Il n'y a pas une seconde à perdre. Prenez la petite sacoche !

Il avait empoigné la valise noire du bourreau et se dirigeait déjà vers la sortie. Il régla l'addition à la porte et, en moins de temps qu'il n'en faut pour le dire, nous avions franchi le seuil, plongé dans l'obscurité de Rose Street et pris nos jambes à notre cou en direction de Hanover Street. Là, Bell héla un fiacre et nous nous affalâmes sur les sièges de cuir en respirant bruyamment. Joe parla le premier, non sans avoir d'abord vérifié par la fenêtre que nous n'étions pas suivis.

– Bien, bien, mon ami. Vous venez d'être témoin d'une facette de ma personnalité dont je n'aurais pas moi-même soupçonné l'existence deux heures plus tôt. Vous avez également assisté à la variante Bell du classique empoisonnement à l'arsenic.

– Un empoisonnement ! Dr Bell, je pro…

– Ladite variante est inoffensive, Conan. Rassurez-vous. Dans les affaires d'empoisonnement classiques, comme celle de la marquise de Brinvilliers, l'arsenic administré sur une longue durée à la victime ne lui est fatal qu'après absorption d'une dose d'antimoine. Dans ma variante, après avoir bu de la bière en excès pendant un long moment, c'est le fait de passer à un alcool fort qui fait succomber la victime. J'ai souvent réfléchi à l'efficacité théorique de ce stratagème, mais j'étais loin de me douter que je lui trouverais un jour une application pratique. Comment vous sentez-vous ?

– J'ai la tête qui tourne, mais moins à cause de ce que j'ai bu que de ce que nous venons de faire.

– J'espère que vous vous êtes aperçu que je renversais discrètement le contenu de mes verres sous la table.

– Où il se mélangeait aux miens. Mais pourquoi, docteur ? Dans quel but ? À quoi bon enivrer le bourreau ? Sa gueule de bois ne l'empêchera pas de s'occuper du jeune Lambert demain matin. Même avec un bon mal de crâne, il sera parfaitement capable d'accomplir son sinistre devoir.

– Et comment fera-t-il sans son matériel, dites-moi ?

– Sans son matériel…

Mon regard tomba enfin sur les deux mallettes que nous avions dérobées aux Anglais. Je relevai les yeux vers Bell sans mot dire.

– Comment voulez-vous pendre un homme sans corde, Conan ? Marwood ne pourra pas lui lier les mains ni les pieds sans les sangles, ni lui couvrir la tête sans capuchon. Nous lui avons emprunté sa trousse à outils. Simple précaution, si vous voulez. Cela nous fera gagner encore un peu de temps. Nous avons privé le serpent de son venin, mais nous ne l'avons pas tué.

27

Bell avait retenu des chambres dans une auberge du port de Leith, au nord de la ville, sous de faux noms. Mais avant d'y aller, il demanda au cocher de nous conduire à diverses adresses, certaines comptant parmi les plus belles demeures georgiennes d'Édimbourg, où il déposa sa carte de visite. Au recto, il avait griffonné quelques lignes, requérant la présence du destinataire le lendemain matin à la prison. À l'aube, peu avant l'heure où Lambert devait faire sa dernière confession et se préparer à gravir les marches du gibet, Bell et moi nous levâmes après une trop courte nuit pour aller tirer du lit le lieutenant Bryce et l'emmener avec nous dans le fiacre. Nous confiâmes les deux mallettes appartenant à Marwood et à son assistant aux bons soins du cocher à qui nous demandâmes de nous attendre. Alors que nous étions encore devant la porte de la prison, un second fiacre arriva. L'inconnu que j'avais remarqué à la gare en descendit : un homme d'âge moyen, bien habillé, aux manières assurées.

Dès que le garde nous eut ouvert la petite porte percée dans les grands doubles vantaux de l'entrée, nous demandâmes à être conduits auprès du directeur de la prison. Une fois admis en sa présence, Bell se chargea de faire les présentations. L'inconnu était Mr Wilson, de Londres, nous apprit-il sans autre précision. Le directeur, un certain commandant Ross, jeta un regard noir à Bryce, et ne paraissait pas mieux disposé envers le reste de notre petit groupe.

– On peut dire que vous avez semé une belle pagaille, Dr Bell. L'université vous retirera définitivement sa confiance, je parie, après cette dernière frasque. J'espère seulement que vous avez eu la décence de nous rapporter le matériel que vous avez dérobé, afin que je puisse accomplir mon devoir comme j'en ai fait le serment. Vous venez de nous prouver que vous êtes un bouffon dangereux, monsieur, et je ne peux que me réjouir de votre disgrâce.

– Si vous le dites, commandant, rétorqua Bell, je suppose que l'exécution n'a pas encore eu lieu ?

– Elle a été reportée d'une heure, elle aura lieu à 9 heures précises. Et cette fois-ci, il n'y aura ni retard ni imprévu, croyez-moi ! Vos manigances n'auront servi à rien, docteur. Vous n'avez réussi qu'à tourmenter cruellement un jeune homme alors qu'il se préparait avec courage à mourir dignement. Cela lui vaut désormais le respect de tous à l'intérieur de ces murs. Il aurait stoïquement accepté son châtiment comme un soldat, monsieur, si vous n'étiez pas intervenu.

– Oui, le spectacle est tellement plus édifiant avec une victime souriante et résignée, pas vrai ? Vous auriez même dû l'encourager à jouer au pendu avec les gardiens, histoire qu'il se fasse à cette idée ! Mr Marwood est là, je parie. Il a dû trouver de quoi soulager son mal de crâne.

– Dr Bell, je n'ai pas de temps à perdre avec vos plaisanteries oiseuses. Si vous avez quelque chose à dire, dites-le et partez. J'ai beaucoup à faire aujourd'hui.

– Commandant Ross, je me suis permis d'inviter quelques personnes, qui connaissent bien cette affaire. Je leur ai donné rendez-vous ici, ce matin.

– Vous n'en aviez pas le droit. La liste des témoins autorisés est déjà établie. Vous allez repartir d'ici immédiatement.

– Peut-être pas immédiatement. Si j'ai invité ces gens ici, ce n'est pas pour assister à l'exécution, mais pour l'empêcher.

– En ce cas, vos espoirs seront déçus, docteur. J'accomplirai mon devoir, même s'il faut que je pende moi-même le condamné. Nous sommes dans un établissement pénitentiaire de Sa Gracieuse Majesté, monsieur, pas dans une cour d'appel.

– Une cour d'appel dans votre bureau ? Quelle bonne idée, commandant ! Une pièce propre et bien rangée, c'est l'idéal !

– Qu'est-ce que vous me chantez là, Dr Bell ?

– Commandant Ross, je ne vais pas vous faire languir plus longtemps. Mr Wilson, que je viens de vous présenter, est le premier messager de la Reine. Sa charge l'autorise à communiquer directement avec le ministre de l'Intérieur par télégraphe. Il est ici ce matin à la demande expresse du Premier ministre, afin de vérifier que nous ne déshonorons pas la justice de ce royaume.

Tous les regards se braquèrent sur Wilson, qui n'avait pas bougé. Droit comme un i, il avait un petit sourire aux lèvres.

– Est-ce vrai, monsieur ? Peut-on se fier à la parole de cet homme ?

– C'est tout à fait vrai, commandant. Mais comprenez bien que je ne suis ici que pour m'assurer que justice sera rendue, pas pour prononcer des jugements. Je suis un simple arbitre, ni plus ni moins.

– Vous voulez dire que nous allons vraiment rejuger Lambert, ici, dans mon bureau ?

– J'entends prouver son innocence, répliqua Bell. Si je parviens à vous convaincre, vous donnerez vous-même les instructions appropriées au messager.

– Et si vous n'y arrivez pas ?

– Ah, mais j'y arriverai, soyez-en sûr. Tout d'abord, puis-je vous demander s'il se trouve, parmi les témoins réunis ici pour l'exécution, des personnes ayant pris part au procès ?

– Certainement. Il y a le lord Advocate, sir George Currie, venu représenter le shérif de Midlothian, gravement malade, comme vous le savez peut-être. Et Mr Veitch est en ce moment même en train de faire ses adieux à son client.

– Parfait ! La défense comme l'accusation seront donc représentées. Veuillez en prendre bonne note, Mr Wilson. Commandant Ross, je suggère que vous fassiez quérir ces deux messieurs.

Presque au même instant, une voix tonitruante s'éleva dans le couloir et l'on frappa bruyamment à la porte avec une lourde canne ou un bâton.

Moins de dix minutes plus tard, les personnes les mieux informées sur l'affaire des meurtres de Coates Crescent se trouvèrent réunies dans le bureau du directeur de la prison. Sir George Currie, au mieux de sa forme, avait l'air encore plus irrité que le commandant Ross. Le lord Advocate n'était pas homme à plaisanter ! Adam Veitch semblait surtout perplexe. Quant à Burnham, le procureur, il écumait de rage. Il se calma un peu quand Ross lui signala la présence du messager de la Reine. Je découvris un nouveau visage, celui du commissaire de police, sir Alexander Scobbie, un géant foudroyé par la maladie et le poids des ans, qui s'appuyait précautionneusement sur deux cannes. Le visage large et les yeux noirs de son adjoint Keir M'Sween, dans la force de l'âge, restèrent impassibles, bien que nous nous soyons déjà rencontrés en ce lieu, lui et moi. Dans la pièce bondée, il y avait également le mari et professeur de chant de Mlle Clery, Mario Cabezon, ainsi que le fils du procureur, le jeune Andrew Burnham. Graeme Lambert, avec qui tout avait commencé le jour où il était venu solliciter les services de Bell, était assis non loin de moi. Le monsieur aux cheveux grisonnants à son côté, d'élégants gants gris croisés sur les genoux, ne pouvait être que son père.

Bell me fit signe de refermer la porte et commença alors à parler. Il choisit d'abord ses mots avec soin puis, passé la première minute de nervosité, retrouva le ton professoral que je lui connaissais bien. Tous ceux qui se trouvaient dans cette pièce lambrissée tournèrent la tête vers le Dr Bell pour écouter ce qu'il avait à dire ; même les criminels exécutés dont les masques mortuaires en plâtre blanc ornaient le manteau de la cheminée semblèrent dresser l'oreille.

– Messieurs, je m'efforcerai d'être bref. Je suis venu ici ce matin pour vous prouver l'innocence du client de Mr Veitch, Mr Alan Lambert, avant que la question de son innocence ou de sa culpabilité ne soit plus qu'un sujet de conversation parmi tant d'autres. Je vous ai réunis dans l'enceinte de cette prison afin de vous faire prendre conscience de la grave erreur judiciaire que l'on s'apprête à y commettre aujourd'hui. J'espère ainsi réussir à sauver non seulement la vie d'un innocent, mais aussi la réputation de la justice britannique. Tout d'abord, le nom d'Alan Lambert a été mêlé à cette affaire parce qu'il détenait un ticket de gage pour une broche de diamant. Ladite broche, d'après le ticket et les déclarations du prêteur sur gages, avait été mise en dépôt plusieurs semaines avant le crime. Il ne pouvait donc pas s'agir de la broche volée dans la maison de Croates Crescent le soir du double meurtre.

– C'était la broche de ma mère ! expliqua Graeme Lambert. Un bijou de famille qu'elle a donné à Alan quand mon père a décidé de couper les vivres à mon frère.

L'homme assis près de lui ne dit rien, mais acquiesça de la tête.

– Cette erreur d'identification sur la broche a conduit la police à Alan Lambert. Aucun autre élément ne permet d'établir un lien entre Lambert et l'une ou l'autre des victimes.

– Il y a quand même les déclarations de plusieurs témoins oculaires, protesta Keir M'Sween, le commissaire adjoint.

– Bien ! Examinons le cas de ces témoins oculaires. Ils se sont présentés à la police, alléchés par la récompense offerte contre toute information susceptible de conduire à l'arrestation du criminel. Deux cents livres, messieurs, qu'ils ont empochées il y a longtemps déjà. Si vous relisez les descriptions fournies par ces témoins, vous constaterez qu'elles ne correspondent pas du tout à l'accusé. Leurs témoignages sont même contradictoires entre eux sur bien des points : ni sa taille, ni ses traits, ni aucun détail vestimentaire ne concordent. Une fois de plus, la situation n'est pas sans rappeler le meurtre du ferry de Wilkhaven en 1875. Dans cette affaire, le lieutenant détective Bryce avait déjà démontré de façon probante qu'on ne pouvait se fier à la parole de gens venus témoigner pour de l'argent.

» Mais examinons de plus près les circonstances dans lesquelles ces témoignages ont été recueillis. Sans entrer dans les détails, permettez-moi de vous rappeler qu'avant de procéder à l'identification, la plupart des témoins ont été invités à regarder une photographie de l'accusé ; d'autres l'ont même vu en chair et en os, sous bonne garde et menottes aux poignets, dans une prison new-yorkaise. Ceux qui connaissent un tant soit peu les procédures policières comprendront aisément le caractère fallacieux de ce genre d'identification. Pour faire pendre un homme, il faut disposer de témoignages autrement plus solides.

» Au procès, le lord Advocate a annoncé au jury qu'il se faisait fort de démontrer que l'accusé savait que Mlle Clery gardait des bijoux chez elle. Au terme des quatre jours d'audience, il n'en avait toujours pas fait la démonstration. Néanmoins, dans son réquisitoire, il a de nouveau utilisé cet argument, comme s'il s'agissait d'un fait avéré. Même le juge, éminent magistrat s'il en est, n'a pas daigné relever cette faille. Le lord Advocate a par ailleurs fait tout son possible pour charger l'accusé à outrance en lui imputant toutes sortes de méfaits. J'ai dénombré vingt-cinq erreurs d'appréciation dans son réquisitoire.

– Tout ceci a déjà été examiné par la commission

d'enquête. Vous vous acharnez sur un cheval mort, docteur !

Cette réplique émanait du lord Advocate en personne.

– Intéressante remarque. Mais il y a plus intéressant encore : les membres de la commission n'avaient pas le droit, dans les termes de leur mandat, d'enquêter sur l'instruction du procès. Imaginez, si vous le pouvez, l'absurdité de leur travail, avec de telles contraintes : il leur était impossible de vérifier la moindre déposition. Comme si des enquêteurs pouvaient résoudre une affaire présumée grave sans être autorisés à divulguer le nom des malfaiteurs qu'ils réussiraient à identifier !

– Cet homme est vraiment fou à lier. Commandant, je ne resterai pas une minute de plus ici !

– Vous serviriez grandement les intérêts de la justice, monsieur, en ayant l'amabilité de demeurer quelques minutes de plus.

Ces paroles provenaient de Wilson, dont la voix calme et posée produisit l'effet souhaité, car sir George resta assis. Peut-être était-ce aussi son emploi un peu littéraire du verbe « demeurer ».

– Aucun des points que je viens de récapituler n'a été réexaminé ! Pour aggraver les choses, les membres de la commission ont bénéficié de l'assistance du procureur et du commissaire, par l'intermédiaire de son adjoint. L'accusé n'a pas été entendu, ni même eu le droit d'assister aux débats ou d'y être représenté. La tare déposée sur la balance de la justice ne pouvait pas être plus inique. Il était encore possible de rectifier le tir, de corriger ces erreurs, comme le lieutenant détective Bryce a tenté de le faire en écrivant au ministre de l'Intérieur, mais on a sabordé son entreprise. Et jeté Bryce par-dessus bord au motif qu'il secouait trop la barque.

– Vraiment ? fit le vieux commissaire à la santé défaillante. Je ne me souviens pas en avoir été informé.

– Nous n'avons pas jugé utile de revenir sur ces détails, expliqua son adjoint. Nous tenions notre homme et il se savait coincé.

– Autrement dit, après avoir déployé tant de moyens pour votre traque absurde, vous étiez bien embarrassé de devoir admettre que vous aviez attrapé le mauvais lièvre. Dès que vous avez mis la main sur le ticket de gage et appris que Lambert avait quitté la ville, vous avez cru tenir votre criminel, en flagrant délit de fuite : l'assassin s'est enfui à Liverpool, le meurtrier s'est enfui à New York ! Oui, vous avez fait sensation en envoyant vos inspecteurs et vos témoins oculaires de l'autre côté de l'Atlantique ! Mais il suffit de s'en tenir aux faits pour que votre théorie selon laquelle Lambert aurait fui à cause du crime s'écroule. Il avait vendu tous ses biens, pris les dispositions pour régler ses affaires, loué sa maison et fait ses adieux à de nombreux amis plusieurs semaines avant le crime. Le lord Advocate a parlé de fuite, de précipitation, alors que ce n'était nullement le cas. Ce que la Couronne s'efforce de cacher, et ceci afin de protéger les représentants de l'ordre, c'est qu'on a gaspillé beaucoup d'argent pour rien, puisque vous vous êtes trompés d'homme.

» Comment je sais que vous vous êtes trompés ? Vous, monsieur, fit Bell en s'adressant au lord Advocate, avez déclaré à la cour que Lambert n'avait aucun témoin pour attester qu'il se trouvait ailleurs que dans l'appartement de Mlle Clery à l'heure du crime. En réalité, deux témoins ont déclaré qu'il était en train de dîner chez lui à ce moment-là. Vous avez estimé que ces déclarations n'étaient pas recevables, insinuant que ces deux personnes étaient des prostituées, de mèche avec l'accusé. D'autres témoins, sans rapport avec les précédents, ont pourtant vu Lambert dans les lieux qu'il fréquente habituellement dans son quartier, avant et après son dîner, mais ceux-là n'ont pas été appelés à comparaître.

» La police, en négligeant de fournir au procureur de la Couronne la liste complète des témoins et leurs dépositions écrites, a porté gravement atteinte au bon fonctionnement de la justice. Le procureur, en omettant de communiquer les informations dont il disposait à l'avocat de la défense, a commis une faute tout aussi grave. L'État est plus puissant que l'individu, aussi ne doit-il pas abuser de son pouvoir ni rendre un simulacre de justice.

– M'Sween, dites-moi que ce type est fou ! s'exclama le commissaire.

– Oui, je suis fou. Fou dans le sens que l'on donne

à ce mot à Grassmarket. Cela me rend fou de voir des serviteurs de l'État manipuler l'opinion publique. Cela me rend fou de savoir que Keir M'Sween couvrait les agissements de l'inspecteur Webb pour que rien ne transpire. On a intimidé le prêteur sur gages et sa femme, de même que le réceptionniste de l'hôtel, à Liverpool, pour qu'il ne raconte à personne que Lambert s'était inscrit sous son vrai nom, alors qu'il tentait soi-disant « d'échapper » à la justice. Le lieutenant détective Bryce ne souhaitait pas rompre les rangs, mais pour avoir voulu attirer l'attention des autorités, il s'est fait radier de la police, dont il est pourtant, depuis des années, le plus brillant élément.

– C'est scandaleux ! Je refuse d'en entendre davantage ! De qui se moque-t-on ? Je suis sir William Burnham. Sachez que personne ne joue au plus fin avec moi, monsieur, surtout pas vous !

Je crus tout d'abord que le procureur prenait notre parti, mais je me trompais. Rouge de colère et frémissant de rage, il essayait de faire pencher la balance de son côté. Tentative avortée, puisque même le commandant Ross lui fit signe de garder son calme.

– Messieurs, fit Mr Wilson, j'en sais maintenant assez pour arriver à la conclusion suivante : on n'a peut-être pas commis une injustice, mais la situation en revêt pourtant toutes les apparences. En conséquence, je vais immédiatement envoyer un télégramme au ministre de l'Intérieur lui demandant de faire suspendre l'exécution. J'en aviserai également le lord maire d'Édimbourg.

– Vous voulez dire qu'Alan ne sera pas pendu ?

– Pas ce matin, jeune homme. Vous pouvez au moins être sûr de cela.

À ces mots, Graeme Lambert se tourna vers son père et le serra dans ses bras. Père et fils demeurèrent enlacés un long moment ; les épaules de Graeme tremblaient d'émotion. Malgré sa réserve et son air austère, le vieil homme ne chercha pas à esquiver ces effusions en public. Il ne cacha même pas ses propres larmes, qui roulaient sur ses joues et mouillaient son col.

28

Une heure plus tard, on informa le condamné du sursis que lui avait accordé le ministère de l'Intérieur par ordre télégraphié. Il put enfin quitter la cellule dans laquelle il croupissait depuis le procès.

Le nombre de personnes réunies dans le bureau du commandant Ross avait augmenté de deux. Marwood et son assistant s'étaient discrètement glissés dans la pièce. La plupart d'entre nous ne s'étaient même pas aperçus de leur présence. Ross voulut nous offrir un remontant – probablement prévu, à l'origine, pour ragaillardir les témoins les plus sensibles qui devaient assister à l'exécution. Mais certains émirent des réticences à boire de l'alcool de si bon matin, aussi décida-t-il de nous faire servir du thé à la place. On nous apporta bientôt des chopes en grès sur un plateau. Le thé était fort et brûlant.

– Monsieur le premier messager de la Reine a-t-il rempli sa mission ? s'enquit sir George Currie, le lord Advocate, d'un ton où perçait le sarcasme. Sommes-nous maintenant libres de quitter cet endroit et de retourner vaquer à nos occupations ?

– Ma mission officielle est terminée, confirma l'intéressé. Néanmoins, je vais encore rester un peu, par curiosité. Je pense que votre propre curiosité va pareillement vous retenir ici un quart d'heure de plus, monsieur.

– Que serais-je donc curieux de savoir? Vous surestimez mon intérêt pour cette affaire.

– Peut-être bien, mais, pour ma part, j'aimerais bien que le Dr Bell nous donne le fin mot de toute l'histoire.

– Lui, nous donner le fin mot de l'histoire? Après avoir tout embrouillé? À cause de lui, nous allons devoir tout reprendre de zéro et chercher un nouveau coupable.

– Le coupable est dans cette pièce ! lança Bell, qui écoutait leur conversation. Et croyez-moi, ce ne sera pas long de le démasquer. Cela suffit-il à éveiller votre curiosité, monsieur ?

– Hum ! Je vais encore rester dix petites minutes. Mais c'est bien parce que je n'ai rien de mieux à faire.

Bell jeta un regard entendu au lord Advocate, qui lui rendit la pareille, comme s'ils venaient tout à coup de se découvrir une mutuelle complicité.

Mon ami se remit à parler, d'un ton plus assuré, maintenant que le condamné avait échappé aux griffes de Marwood. Mais l'idée que l'assassin se trouvait parmi nous ne fit qu'accroître la nervosité ambiante, chacun ne cessant de jeter furtivement des regards soupçonneux autour de lui.

– Quand Graeme Lambert est venu me trouver pour me demander de sauver son frère de la potence, j'ai d'emblée tenu l'innocence de Lambert pour acquise. Le coupable devait par conséquent être quelqu'un d'autre. Appelons-le pour l'instant Mr Coupable. J'ai écarté l'éventualité d'une Miss ou d'une Mrs Coupable à cause de la violence du crime : les deux victimes ont été égorgées l'une après l'autre à l'arme blanche. Toutefois, même en ayant éliminé la possibilité qu'il s'agisse d'une femme, je ne me trouvais pas devant un puzzle moins complexe. Je me suis alors demandé si l'assassin avait aussi prémédité de faire endosser son crime à Lambert. Et si le faire accuser du double meurtre faisait partie d'un complot diabolique visant à tuer *trois* personnes ? Finalement, j'ai écarté cette théorie. Mais ceux qui apprécient l'écrivain américain Edgar Poe la trouveront sûrement à leur goût.

» La police a toujours supposé, et les journaux se sont fait l'écho de cette idée, que le meurtrier avait voulu supprimer Mlle Clery. Idée somme toute plausible : c'était une artiste de talent, riche, belle et célèbre. À côté d'elle, le pauvre Eward était insignifiant : il n'avait ni fortune ni gloire. On a toujours considéré sa mort comme un accident : par malchance, il se trouvait dans l'appartement de Coates Crescent à ce moment-là, ce qui lui a valu de partager le sort de Mlle Clery. Eût-elle reçu un autre visiteur ce soir-là, c'est lui qui se serait fait égorger à la place d'Eward, pensait-on. Je me rendais bien compte de la faille de cette hypothèse, mais je ne savais pas encore trop comment l'exploiter.

» Depuis le début, la police affirme aussi que le mobile du crime est le vol. Mais cette hypothèse-là, messieurs, ne tient pas debout. Non seulement parce qu'il n'y avait pas de bijoux de grande valeur à dérober, mais surtout parce que le soi-disant voleur n'a emporté qu'une broche. Et rien ne permet d'affirmer que c'est le meurtrier qui l'a prise ; toute autre personne ayant accès à l'appartement aurait pu faire le coup, avant ou après le crime. Mais les enquêteurs n'ont même pas envisagé cette possibilité. Pourtant, quel drôle de cambriolage ! Il n'y avait aucune trace d'effraction. L'une ou l'autre des victimes a dû forcément tirer un à un tous les verrous en haut et en bas de la porte. En outre, il y avait deux portes à franchir : celle de la rue au rez-de-chaussée et celle de l'appartement à l'étage. L'assassin connaissait donc certainement l'une des deux victimes.

» Dans les affaires de ce type, quand une femme et son amant se font assassiner, la police finit souvent par découvrir que le coupable n'est autre que le mari trompé. Il suffit de procéder avec méthode et de connaître un peu la nature humaine. Dans la présente affaire, Hermione Clery était séparée de son mari, Mario Cabezon, habitant à deux pas de l'appartement de Coates Crescent. Il avait un mobile : la jalousie. En outre, un jugement avait été rendu, pour légaliser leur séparation, lui interdisant d'approcher son épouse. Si la police n'avait pas foncé tête baissée sur les traces de Lambert, à Liverpool, puis à New York, elle se serait peut-être aperçue de cette curieuse situation. Heureusement, le lieutenant détective Bryce sauve l'honneur : il est le seul à avoir interrogé le mari de Mlle Clery. Pour autant que je sache, aucun autre policier n'était au courant de l'existence de cet époux. Si je mentionne ce détail, ce n'est pas pour rallonger la liste des erreurs commises par la police, mais pour souligner, une fois de plus, la précipitation et le manque de réflexion dont elle a fait preuve en se lançant à la poursuite du prétendu suspect « en fuite ».

» Signor Cabezon est-il notre assassin ? Je ne le pense pas. Eût-il été plus grand, bâti comme une armoire à glace, il aurait peut-être pu commettre ce crime, mais Eward et Mlle Clery faisaient tous deux une bonne tête de plus que lui. En outre, avec son appareil orthopédique, il se trouve qu'il ne ressemble pas du tout à l'assassin de Webb, que j'ai eu l'occasion d'apercevoir devant le domicile de l'inspecteur.

» Bryce avait fait une autre découverte, grâce aux révélations de l'impresario de Mlle Clery, Tom Prentice, à qui j'ai de mon côté envoyé un câble à New York. Prentice avait confié à l'inspecteur Webb qu'Hélène André, la bonne, était passée chez lui pour lui annoncer la triste nouvelle, le soir du meurtre.

Elle lui a aussi raconté qu'elle avait vu un homme sortir de la chambre à coucher et quitter l'appartement juste avant de découvrir les corps des victimes. Un homme *qu'elle connaissait de vue*, avait-elle ajouté. Le voisin du dessous, ayant entendu des bruits bizarres à l'étage, est monté voir ce qui se passait et a rencontré la bonne sur le palier, qui rentrait après être sortie acheter le journal. (Curieux de faire ce genre de course à cette heure-là !) Lui aussi a déclaré avoir vu un homme sortir de l'appartement. Jusque-là, je ne vous apprends rien. Quand Bryce a eu vent de cette histoire, il est retourné au commissariat pour lire les dépositions de Prentice et de la bonne. Dans les deux cas, de nombreux passages avaient été censurés et remplacés par des astérisques. L'homme reconnu par Hélène André était désigné comme Mr XYZ. Tout porte à croire qu'il s'agissait de l'assassin, quittant le lieu du crime. Mais a-t-on suivi cette piste ? Non. Pourquoi a-t-on dissimulé le nom de ce suspect dans les rapports ? Bien des noms sont mentionnés lors d'une enquête criminelle. Mais seuls les officiers de police en charge du dossier ont accès à ces informations. En général, les exigences d'anonymat ne surviennent que lorsque l'affaire est portée devant les tribunaux. Normalement, les documents destinés aux inspecteurs chargés de l'enquête ne font pas l'objet d'une censure préalable. Dans le cas présent, seul le nom de ce Mr XYZ a été protégé. J'emploie le mot « protégé » à dessein. L'inspecteur Robbie Webb et le lieutenant détective Bryce ont tous deux reçu l'ordre de recommander aux témoins concernés la plus grande discrétion, afin qu'ils n'aillent pas divulguer le nom de cet individu.

» Messieurs, je vous pose la question : comment en est-on arrivé là ? Quand une personne est impliquée dans une affaire, ce n'est pas si courant de faire tant de mystères sur son identité…

– Vos insinuations vont un peu trop loin, monsieur, l'interrompit le commissaire Scobbie d'un ton bougon. Vous allez bientôt nous accuser de faute grave, en continuant ainsi.

– Voici les faits, monsieur. Jugez-en par vous-même : d'après le lieutenant détective Bryce, le supérieur des officiers chargés de l'enquête leur a affirmé *que l'emploi du temps de XYZ avait été vérifié après le meurtre*. Par qui, me demanderez-vous. En tout cas, pas par les inspecteurs en charge de cette affaire. Hélène André est ensuite revenue sur ses déclarations lors de la contre-enquête de la commission, niant avoir reconnu XYZ. Mais comme les autres témoins interrogés à ce moment-là, elle ne déposait pas sous serment.

– Un témoin ne déposant pas sous serment ! Ce n'est pas possible ! s'exclama le commissaire Scobbie. Je n'étais même pas au courant.

– Monsieur, votre nom figure pourtant sur la liste des personnes ayant assisté aux débats. Seriez-vous en train de me dire que vous ne vous en souvenez pas ?

– Docteur, il y a tellement d'audiences ! Je ne

peux pas assister à tous les débats ! Et cette enquête a duré si peu de temps : quelques jours à peine ! M'Sween y est allé à ma place. Il était là pour me représenter, et sir William était également présent.

– Alors peut-être pourrez-vous nous expliquer, Mr M'Sween, pourquoi Hélène André a nié avoir jamais vu XYZ, puis nié ensuite avoir jamais dit l'avoir vu, puis reçu pour instruction de ne jamais mentionner le nom de XYZ devant personne ?

– Vous vous mêlez de ce qui ne vous regarde pas, docteur. Vous ne savez même pas de quoi vous parlez. Est-ce que moi je me mêle de vos cours d'anatomie ?

M'Sween était rouge comme une pivoine. Tous les regards, jusqu'alors rivés sur Bell, se braquèrent sur le commissaire adjoint.

– Répondez donc à sa question, M'Sween. Tirez ça au clair, pour l'amour de Dieu ! lança son supérieur.

– Et tant que vous y êtes, dites-nous aussi le nom de ce Mr XYZ, dit Bell. Ce doit être quelqu'un de bien important s'il a pu ainsi échapper à l'enquête criminelle, et c'est très certainement pour cette raison qu'on a supprimé Robbie Webb.

– Vous n'êtes qu'un vil fouineur ! hurla Keir M'Sween, qui bondit sur ses pieds et se précipita sur Bell. Vous êtes en train de saper les fondations de notre système judiciaire ! Vous détruisez en une minute ce qui a pris des siècles à bâtir ! Vous voulez donc réduire la Nation à l'impuissance, la voir retourner au chaos et à l'anarchie ?

Le commandant Ross posa la main sur le bras de M'Sween, prêt à saisir Bell à la gorge.

– Allons, du calme, M'Sween ! s'exclama Ross d'un ton autoritaire, obligeant le commissaire adjoint à se rasseoir. Le docteur va s'expliquer. Alors, monsieur ? poursuivit-il en se tournant vers Bell. De graves accusations viennent d'être portées contre vous. Vous voulez l'anarchie ? Par quoi comptez-vous remplacer les institutions incarnant la loi et l'ordre ?

– Commandant, la solidité de nos institutions, comme une chaîne, est celle de leur maillon le plus faible. Et ce système ne sert à rien s'il n'est pas au service de tous. Il est vrai que les toges et perruques de la Cour Suprême symbolisent la dignité, la solennité et le pouvoir de l'institution judiciaire, mais derrière l'apparat, c'est son œuvre au jour le jour qui compte. Or un innocent a failli être envoyé à l'échafaud, messieurs, à cause d'un seul homme, qui a tenté de fausser les rouages du système, afin que ne soient pas révélées au grand jour les erreurs commises par la police et la justice. De surcroît, la loi a été bafouée pour protéger un assassin récidiviste. Nous ne pouvons pas laisser passer cela, messieurs !

L'éloquence inhabituelle de Bell tira la petite assemblée réunie dans le bureau du commandant Ross de sa torpeur. On échangea des regards ; Ross et M'Sween avaient tous deux l'air bien embarrassé, manifestement ébranlés dans leurs convictions profondes.

– Docteur, fit le lord Advocate, vos propos viennent fort à propos nous rappeler les préceptes qui devraient guider tout officier judiciaire au service de la Couronne, et je vous remercie de nous encourager avec tant de véhémence à accomplir notre devoir sans faille. Cependant, vous vous êtes contenté de lancer des accusations voilées. Si vous avez des charges à énoncer devant la cour, faites-les nous savoir.

– En ce cas, j'accuse Keir M'Sween d'avoir profité de ses hautes fonctions pour essayer de cacher la bêtise et la négligence qui ont présidé à la conduite de l'enquête, d'avoir gardé le silence sur les faits qui auraient disculpé Alan Lambert des charges retenues contre lui, d'avoir omis de fournir à la défense comme à l'accusation la totalité des témoignages recueillis, dont un petit nombre aurait suffi à disculper rapidement le prisonnier appelé à la barre. Mais ce n'est pas tout : il s'est servi de l'inspecteur Webb pour contraindre les témoins au silence par la terreur et l'intimidation, pour les faire revenir sur leurs déclarations, et pour essayer de nous empêcher, Mr Doyle et moi-même, de découvrir la vérité. Depuis le début, il savait tout : ses agissements sont criminels. Et je ne vous parle même pas des pressions exercées sur Doyle, ici présent, et ma propre personne, dont Mr M'Sween est l'instigateur.

Tous retenaient leur souffle dans la pièce. On n'entendait plus que le tic-tac de la grosse horloge posée sur le manteau de la cheminée, entre les masques de plâtre muets. J'étais moi aussi complètement abasourdi par ce que je venais d'entendre. J'avais beau avoir participé aux investigations de mon ami depuis le début, je ne m'attendais vraiment pas à cela. Chacun n'eut pas plus tôt repris ses esprits et rassemblé ses idées, sensées ou insensées, que les protestations fusèrent. Le procureur, son fils, et même Mr Veitch, manifestement habitué à retourner sa veste, s'époumonèrent à qui mieux mieux pour réfuter les accusations de Bell. Le commandant Ross demanda alors à mon ami de fournir les preuves de ce qu'il avançait. De nouveau, tous les regards, y compris le mien, convergèrent vers mon ami.

– Monsieur le commissaire adjoint M'Sween, laisserez-vous des enquêteurs indépendants accéder à vos bureaux pour procéder à une perquisition ? Sans avoir vu le caillou jeté à l'eau, je sais où il est tombé grâce aux cercles qui ont ridé la surface. Si ce n'est pas le commissaire Scobbie qui a ordonné à Webb d'intimider les témoins, alors ce ne peut être que vous. Vous étiez son supérieur hiérarchique. On a dit à Bryce que Mr XYZ avait été lavé de tout soupçon, c'est donc vous qui avez dû procéder aux vérifications d'usage, à moins que ce ne soit votre chef.

– Écoutez-moi bien, docteur, intervint le vieux commissaire, M'Sween doit non seulement assumer les lourdes et importantes responsabilités attachées à sa fonction, mais aussi une bonne partie des miennes, depuis l'année dernière, parce que je suis malade. C'est un officier compétent et honnête. Il protège les biens privés et publics, fait régner la sécurité dans nos rues après la tombée de la nuit, malgré le peu de moyens dont il dispose. Il ne gaspille pas l'argent des contribuables. C'est un officier à la fois dévoué et économe. Si cela ne tenait qu'à moi, c'est lui que je nommerai à mon poste quand je prendrai ma retraite.

– À vous entendre, commissaire Scobbie, la police est débordée et en sous-effectif. Mais je ne le conteste pas. Vous manquez aussi de moyens financiers. Une bonne police coûte cher. Ce qui rend d'autant plus odieuse cette chasse au suspect « en fuite » lancée par M'Sween. C'était du gaspillage. Je pense, monsieur, que vous auriez été plus que critique si vous aviez été informé de la bévue de M'Sween. Elle a dû coûter très cher à la police. On n'a pas regardé à la dépense pour vous fournir un coupable.

– Sapristi, Dr Bell ! Vous lancez de graves accusations et je suis prêt à financer une enquête indépendante rien que pour prouver que vous avez tort, dit le vieux commissaire. Désignez-moi une personne compétente pour mener ces investigations, et je ferai le nécessaire.

– Que dites-vous de Mr Andrew Burnham ? C'est un administrateur très compétent. Il a notamment décelé de fausses écritures dans les livres de comptes de Gordon Eward, la seconde victime. Il a alors fait en sorte de lisser ces irrégularités dans la comptabilité.

– Comment cela ? Je ne suis au courant de rien ! s'exclama le procureur, sir William Burnham, en jetant un regard noir à son fils.

– Dites-moi si je vous suis bien, docteur, fit le commissaire Alexander Scobbie. Selon vous, Gordon Eward aurait détourné de l'argent et Andrew Burnham rééquilibré les comptes avec la complicité du procureur ? C'est insensé ! C'est proprement inadmissible !

– Sir Alexander, je présume donc que vous n'étiez pas au courant de la charitable initiative d'Andrew Burnham ?

– Bien sûr que non. M'Sween, vous étiez au courant ?

M'Sween resta coi. Il ouvrit la bouche, mais aucun son n'en sortit. Il transpirait à grosses gouttes et son visage brillait.

– Pourtant, Andrew nous a déclaré, à Doyle et moi-même, qu'avec la bénédiction du commissaire, du commissaire adjoint et de son père, il avait renfloué les comptes de la somme détournée par Eward, avec l'argent des autres services n'ayant pas épuisé leur budget. Il nous a même précisé que cela représentait un total de presque 200 000 livres.

– 200 000 livres ! s'écria le commissaire Scobbie en écho, recouvrant un peu de son ancienne vigueur.

– Tout cela est parfaitement ridicule, comme le reste de vos assertions, Dr Bell ! s'indigna le procureur. Qu'avez-vous à dire pour votre défense, Andrew ?

– Il y avait effectivement des irrégularités dans la comptabilité d'Eward. Étant donné les circonstances tragiques de son décès, j'ai fait en sorte de compenser ces pertes avec d'autres fonds. Ensuite, quand j'en ai parlé à ces personnes extérieures au service, il m'a semblé préférable de leur laisser penser que cela avait été décidé d'un commun accord.

– Mais c'est très grave, rétorqua sir Alexander Scobbie.

– Je croyais bien faire, expliqua Andrew en s'adressant à son père. Je voulais simplement arranger les choses.

– Quelles qu'aient été vos intentions, mon garçon, fit sir Alexander, vous avez commis une faute grave. Et vous devrez en assumer les conséquences. Il y aura certainement ouverture d'une information judiciaire.

– Sandy, c'est à mon fils que vous parlez ! s'exclama le procureur.

– Ne croyez pas que je prononce ces mots de gaieté de cœur, sir William. Bien au contraire.

– Malheureusement, ces malversations financières ne sont pas les charges les plus graves qui pèsent sur Andrew Burnham, déclara Bell. Malheureusement, j'ai la conviction qu'il est également coupable des trois meurtres sur lesquels nous avons enquêté. Oui, ce jeune homme m'a tout l'air d'être bien coupable, bien malin et bien capable de tout.

De nouveau Bell fit sensation. Andrew Burnham devint blanc comme un linge. Le regard des hommes réunis dans la pièce ne cessait d'aller et venir entre mon ami et le fils du procureur. Des deux, c'était Burnham qu'ils auraient préféré soutenir. Il était des leurs, après tout. Mais ces accusations sensationnelles eurent le don de leur imposer le silence à tous quand les protestations de Burnham et de son père cessèrent. Tout le monde voulait entendre la suite.

29

– Ce message vous dit-il quelque chose, sir William ? s'enquit Bell en faisant passer un bout de papier au père d'Andrew Burnham, manifestement secoué par les révélations de mon ami.

Je reconnus le croquis fait par Bell dans l'appartement de Webb, où nous avions trouvé le cadavre de l'inspecteur. Sir William prit le papier, y jeta un coup d'œil, puis laissa retomber son bras, comme s'il n'avait pas la force de le lire jusqu'au bout. Néanmoins, quelque chose retint son attention, car il ramena tout aussitôt le message à la hauteur de ses yeux pour l'étudier avec attention.

– Ces symboles doivent vous être familiers, fit Bell. Pour ma part, il m'a fallu quelques jours pour me rappeler où je les avais déjà vus. On retrouve les mêmes dessins sur ces pièces de bois sculptées que portent les représentants des comtés à l'occasion de certaines cérémonies officielles en Angleterre. Ces motifs sont des runes héritées des Danois, à qui l'on doit l'introduction de cette sorte d'almanach portable plutôt astucieux. Vous vous rappelez peut-être qu'on lui donne aussi le nom de calendrier du Staffordshire. Vous êtes du Staffordshire, je crois, monsieur ?

– Oui, je suis originaire de ce comté et je connais le calendrier du Staffordshire. Il est décrit dans l'ouvrage de Camden, intitulé *Britannia*, que l'on peut trouver dans toutes les bonnes bibliothèques.

– Alors vous savez que ces petits dessins correspondent à des dates ou, plus exactement, aux jours de certains saints. Saint Crispin, le patron des cordonniers, est par exemple représenté par une paire de semelles. Ce message a été envoyé à Webb. Il est signé d'une croix en X. Avez-vous une idée de ce qu'elle signifie ?

– Pourquoi n'assenez-vous pas le coup de grâce, Dr Bell, au lieu de me torturer ? Nous savons tous les deux ce que représente cette croix.

Le procureur laissa retomber sa main, crispée sur le message, comme si celui-ci avait été écrit en lettres de plomb.

– Oui, c'est la croix de saint André. Elle suit les lettres « vtre » que je devine être l'abréviation de « vôtre » comme dans « sincèrement vôtre ». Le message se termine par cette formule de politesse suivie de la croix. On peut en conclure que la signature est : « Andrew ».

Reprenant le billet de la main sans force de sir William, Bell le tendit au vieux commissaire.

– Saint Crispin ? C'est la date de la bataille d'Azincourt. Henry V remporta une grande victoire contre les chevaliers français, environ un siècle après Bannockburn.

– C'était le 25 octobre 1415, confirma Bell. Dans le message, la date indiquée est 25 moins 2, ce qui nous donne le 23 octobre, messieurs, c'est-à-dire aujourd'hui. « Fin des ennuis le 23 octobre… » J'imagine que c'est une allusion à ce qui aurait dû arriver ce matin : l'exécution d'Alan Lambert. Le deuxième symbole, qui ressemble à la cognée d'une hache, représente sainte Marie-Madeleine, dont la fête est célébrée le 22 juillet. « Les projets du 22 juillet moins 1 ont réussi. » Que s'est-il passé le 21 juillet ?

– Est-il besoin de le demander ? C'est le jour où les deux premiers meurtres ont été commis, dit le commandant Ross, qui semblait avoir complètement repris le dessus. Ceux de Mlle Clery de l'Opéra Royal et de Mr Gordon Eward des Travaux publics.

– Le message se termine par ces mots : « Attendez-moi à 5 le… », suivis d'un quadrillage en forme de jambe. C'est le symbole de saint Luc dans l'almanach du Staffordshire, soit le 18 octobre. Le samedi où Webb a disparu.

Je crus qu'il allait ajouter : « Et où nous avons découvert son cadavre », mais Bell n'était pas stupide.

S'il avait médusé son auditoire en lui parlant sans détour, il le conquit bien davantage en lui montrant le message. Le billet passa de main en main comme une relique sacrée. Ce bout de papier était une preuve tangible, même s'il ne s'agissait que d'une copie. D'ailleurs M'Sween le reconnut, parce qu'il avait vu l'original.

– Alors, Dr Bell, s'enquit le commandant Ross, quel est le sens exact de ce message codé, selon vous ?

– J'en donnerais la lecture suivante : « Fin des ennuis le 23 octobre (c'est-à-dire aujourd'hui, jour de l'exécution). Patience. Les projets du 21 juillet (date des meurtres) ont réussi. Attendez-moi à 5 (pour 5 heures) le 18 octobre (jour où Webb a disparu). Sincèrement vôtre, Andrew. »

Un murmure de voix s'éleva dans la pièce, qu'Andrew Burnham fit taire aussitôt :

– Bande d'imbéciles ! Combien d'Andrew y a-t-il en Écosse ? Alors ça y est, pour vous, je suis coupable ! Vous allez le regretter, je vous préviens. Je suis parfaitement capable de me défendre. Si vous croyez pouvoir me passer la corde au cou avec une preuve aussi mince ! Je vous avertis, je ne me laisserai pas faire ! Mon père et moi, nous allons vous montrer de quoi nous sommes capables. Je m'appelle Burnham ! Ce nom est bien connu dans tout le pays. Nous occupons d'importantes fonctions dans ce comté depuis des années. Si vous essayez de me faire arrêter, je…

– Holà ! Du calme, mon garçon ! Écoutez donc ce que le Dr Bell a à dire. Nous vous protégerons et la loi vous protégera. Vous n'avez rien à craindre, fit le vieux commissaire qui, devinai-je, connaissait le jeune homme depuis l'enfance.

– Ce message, trouvé dans l'appartement de Webb, prouve la culpabilité de l'inspecteur : il s'était rendu complice des meurtres et connaissait le meurtrier, un certain Andrew, dirons-nous pour l'instant. Lequel s'est empressé d'ajouter Webb au nombre de ses victimes. Du point de vue de l'assassin, c'était une sage précaution : Webb le tenait en son pouvoir avec ce qu'il savait. Mieux valait s'en débarrasser, histoire de ne pas courir le risque de voir Webb retourner sa veste et passer aux aveux, spontanés ou extorqués. Ce message donnait à l'inspecteur un rendez-vous qui lui fut fatal. L'assassin s'est invité chez sa victime. Il lui aurait été impossible de porter un cadavre en haut de l'escalier sans se faire remarquer. Il devait aussi connaître l'existence du placard secret de Webb, où ce dernier rangeait ses déguisements, puisqu'il s'en est servi pour cacher le corps.

– Dr Bell, vous êtes particulièrement bien renseigné, observa le procureur. Auriez-vous un informateur au commissariat ?

– Vous saurez tout en temps utile, sir. Revenons d'abord à ce que je disais tout à l'heure : nous avons tous pensé que Mlle Clery était la cible première de notre assassin – même si le vol n'était pas son mobile. Moi, je vous suggère le contraire. C'est Eward, Gordon Eward qu'il voulait supprimer. Le meurtre de Mlle Clery n'était qu'une diversion, un écran de fumée.

» Pourquoi Eward ? Pourquoi supprimer un petit comptable insignifiant ? Parce que ce petit comptable était moins insignifiant qu'il n'y paraît. Il a été assassiné parce qu'il savait qu'Andrew Burnham détournait de l'argent public depuis un certain temps. Celui-ci spéculait sur le projet du Pont de la Tay. En honnête homme, Eward est allé trouver Burnham et lui a demandé ce qu'il comptait faire. Andrew a réclamé un délai, promis de rembourser l'argent et est alors allé rendre une petite visite à Eward chez sa maîtresse. Une fois débarrassé d'Eward, ne restait plus à Andrew qu'à effacer les traces de ses malversations. Pris sur le fait, il a alors prétendu que le fautif était Eward. Le crime était presque parfait. Personne ne se doutait que sa mort avait été préméditée, qu'il ne s'agissait pas d'un hasard malheureux. La disparition d'Eward simplifiait les choses.

– Vous avez des preuves de ce que vous avancez, j'espère, docteur. Vos allégations sont particulièrement graves. Pouvez-vous les justifier ?

– Je vais essayer, fit Bell en se tournant vers le père de Graeme, Alan et Louise. Mr Lambert, il y a un peu moins d'une semaine, vous vous êtes rendu chez les Burnham après avoir reçu un billet vous mettant en garde contre ma curiosité, qui risquait de gêner l'enquête. Pouvez-vous nous raconter ce qui s'est passé ?

– C'était l'œuvre d'un mauvais plaisant. Je me

suis mépris sur l'origine de ce billet. En fait, personne n'attendait ma visite chez les Burnham. Cette histoire m'a donc fait perdre une heure pour rien.

– Et qui avait signé ce billet ?

– Eh bien, j'ai cru qu'il m'avait été envoyé par le jeune Andrew, mais il me certifia que non. Il ne pouvait pas venir de sir William, car je n'avais encore jamais abordé le sujet devant lui. Andrew pour sa part me témoignait beaucoup de sollicitude depuis qu'Alan avait des ennuis. Il m'avait assuré que les autorités compétentes faisaient tout leur possible pour sauver mon fils et que les amateurs – si bien intentionnés fussent-ils – risquaient de lui causer plus de tort que de bien.

– Doyle, vous vous rappelez la fois où nous sommes passés chez Webb ? me demanda Bell tout en adressant un signe de tête au vieux commissaire. Je ne vois pas ce qui m'empêche de vous en parler, à présent, messieurs : nous sommes allés rendre une visite à Webb, qui nous traquait depuis plusieurs jours. Nous savions qu'il commençait à être inquiet à cause des nombreuses découvertes que nous avions déjà faites.

Il s'interrompit pour se tourner vers moi, cette fois.

– Oui, docteur. Je m'en souviens très bien.

– Vous vous rappelez donc cet appareil photographique, un Thornton-Picard, qui se trouvait dans son appartement, avec plusieurs daguerréotypes ?

– Oui, il y avait des photographies de moi, devant

le palais de Justice. Il avait dû les prendre pendant le procès, avant que nous n'ayons vraiment commencé notre enquête.

– Tout à fait ! Ce que vous m'en dites coïncide exactement avec mes propres souvenirs. À cette époque, nous n'avions pas encore interrogé le prêteur sur gages, que nous ne sommes allés trouver qu'à la fin du procès, le jour où le jury a rendu son verdict. Personne n'était donc encore au courant que nous avions accepté d'aider le jeune Lambert, à part son frère, Graeme, puisqu'il était à l'origine de cette requête. Dites-nous, Graeme, à qui d'autre en avez-vous parlé ?

Graeme eut l'air un peu hébété, comme si nous venions de le tirer brusquement du sommeil. Il jeta un regard en coin à son père avant de répondre :

– Eh bien, j'en ai parlé à mon père et à ma sœur, docteur.

– À personne d'autre ?

– À personne d'autre.

– En ce cas, Mr Lambert, je vais vous poser la même question ; à qui avez-vous révélé que nous menions l'enquête de notre côté ?

– J'ai rencontré Mr Andrew Burnham à mon club. Je connaissais sa famille, bien entendu, et j'ai été très touché par sa gentillesse, étant donné les circonstances. Il m'a demandé si j'avais écrit au lord Advocate et je lui ai dit que oui. Je venais d'apprendre que Graeme avait fait appel au Dr Bell et je lui en ai donc également touché un mot. Moi, je ne pensais pas que cela poserait un problème, mais lui m'a certifié que ma demande officielle risquait d'être rejetée à cause de vos investigations. Il m'a laissé entendre qu'en vous laissant vous immiscer dans cette affaire, nous ne ferions que nous mettre les autorités à dos.

– Ah ! C'est bien ce que je pensais, fit Bell, marquant une pause pour scruter l'un après l'autre les visages autour de lui, le temps de rassembler ses derniers arguments. Vous constatez, messieurs, que le nom d'Andrew Burnham a été souvent prononcé dans cette histoire. Il figure aussi sur la liste des investisseurs de la Compagnie d'exploitation du Pont de la rivière Tay appartenant à son ami David M'Clung. Mais pas le nom d'Eward Gordon. Je vous ai indiqué le mobile d'Andrew. La compagnie n'a pas pu lui rembourser ses investissements à la date prévue. Eward s'étant aperçu des détournements de fonds, Andrew risquait d'être mis publiquement en cause s'il ne faisait rien pour empêcher son employé de parler.

» Pour vérifier mon hypothèse, j'ai envoyé un câble à Tom Prentice, l'ancien impresario de Mlle Clery, qui se trouve actuellement à New York. Je lui ai demandé de me donner le nom de l'homme désigné dans les rapports de police comme Mr XYZ. Voici sa réponse, que je n'ai pas encore eu le temps de lire. Voulez-vous bien ouvrir l'enveloppe et nous lire ce télégramme, commandant Ross ?

Le directeur de la prison prit l'enveloppe que lui

tendait Bell et la déchira. Tous les regards étaient rivés sur lui. Il en sortit une simple feuille de papier, qu'il déplia et dont il nous lut le contenu d'une voix basse et enrouée :

DR JOSEPH BELL
FACULTÉ DE MÉDECINE
UNIVERSITÉ D'ÉDIMBOURG
LE NOM DONNÉ PAR HÉLÈNE ANDRÉ LE SOIR DU CRIME, REMPLACÉ PAR MR XYZ DANS LES RAPPORTS DE POLICE, EST CELUI D'ANDREW BURNHAM, LE FILS DE SIR WILLIAM BURNHAM.
PRENTICE.

30

La réunion à la prison s'acheva peu après la lecture du télégramme de Tom Prentice. Andrew Burnham fut placé en détention et Keir M'Sween aussitôt démis de ses fonctions et pareillement écroué. Il attend maintenant son procès pour complicité de crime, dissimulation de preuves et collusion aggravée. Le procès d'assises d'Andrew Burnham aura lieu au printemps. Des comptables compétents, m'a-t-on dit, ont épluché ses registres financiers en remontant plusieurs années en arrière. Ils ont été comparés avec les livres de comptes originaux laissés par Gordon Eward. Sir William a requis les services de sir Henry Mildew, avocat de la Couronne et docteur en droit, pour assurer la défense de son fils. Le lord Advocate a refusé de se charger lui-même de l'instruction. Sir William s'est retiré de la vie publique dès que la presse a commencé à relater les détails de l'histoire que je me suis efforcé de rapporter ici.

Les Lambert sont partis en croisière dans le Pacifique. Ils ont poursuivi leur voyage sur terre, séjourné quelque temps au Japon, en Chine et aux Indes. Au début, Louise m'écrivait toutes les semaines. J'étais ravi de découvrir les merveilles de Bali ou des îles Samoa à travers ses yeux. Puis elle cessa brusquement de m'envoyer des lettres et je ne reçus plus que quelques rares cartes postales, au fil des étapes de la famille. Ils traversèrent le désert de Mongolie, puis les hautes montagnes du nord de l'Inde. À Saint-Pétersbourg, elle m'écrivit qu'elle avait rencontré un homme d'affaires américain et que leur amitié avait rapidement évolué vers un sentiment plus tendre. Je m'armais de courage dans l'attente de sa prochaine lettre, mais quand elle arriva, je m'aperçus que je n'étais pas réellement préparé à recevoir la nouvelle qu'elle annonçait. Le mariage doit être célébré à San Francisco, où son fiancé possède une maison surplombant la baie. Je n'ai aucune idée de la baie dont il s'agit, mais j'irai jeter un œil sur une carte de la Californie un de ces jours.

Alan Lambert et son père sont maintenant complètement réconciliés. Je soupçonne son frère, Graeme, et sa sœur, d'y être un peu pour quelque chose. Le destin a infligé au pauvre homme deux fils bohèmes. Mais maintenant qu'Alan a échappé de justesse à la potence, leur père se dit très heureux d'avoir deux fils bien vivants, si dépensiers soient-ils. Peut-être trouve-t-il la situation plus supportable sous les tropiques, loin du vent froid qui tourbillonne autour du château d'Édimbourg. Je ne peux m'empêcher d'éprouver de la compassion pour le vieil homme.

J'ai reçu une lettre de Stevenson, qui m'écrit de Monterey, en Californie :

> *... J'ai traversé à pied les monts au nord de Carmel, mais sans la compagnie de ma chère Modestine, cette fois-ci... Ici, dans l'Ouest, ma peau tannée par le soleil me donne l'air d'un paysan et je suis heureux comme un roi. Après avoir quitté les collines, j'ai été accueilli au sein de la généreuse famille Osborne, où j'essaie de me faire une place au côté de ma chère Fanny. En ce moment, il n'est question autour de moi que de mariages (pas le mien) et de divorces (pas le mien non plus), mais inutile d'entrer dans le détail de ces histoires bien compliquées... Le Pacifique est vraiment un océan à part, que je compte bien prendre le temps d'explorer un jour...*

Je découvris que Modestine était un âne en achetant un exemplaire du livre de Stevenson. De l'avis de mes amis fréquentant les cercles littéraires, il est bien parti pour faire une grande carrière d'écrivain.

J'ai également reçu une lettre du terrible George Budd, dans laquelle il m'enjoint de venir le retrouver à Plymouth. D'après lui, mes connaissances en médecine sont bien suffisantes pour que je puisse ouvrir un cabinet. J'étais tenté de le rejoindre, ne serait-ce que pour l'aventure, mais Joe Bell m'a conseillé de terminer d'abord mes études ici. Ajoutant que si j'avais soif d'aventure, je ferais mieux de devenir chirurgien de bord. Si je le souhaitais, il écrirait à un patron de baleinier qui faisait sa campagne de pêche entre nos côtes et celles du Groënland. (Je savais bien que mon destin m'entraînerait dans une quête lointaine à la recherche du squelette de Franklin.) C'est une bien meilleure idée, nettement plus sensée en tout cas, et je crois que je vais y réfléchir. Budd attendra que j'aie décroché mon diplôme et, dans l'intervalle, il aura peut-être trouvé un remède à toutes les maladies connues à ce jour. Si la cocaïne ne l'a pas détruit d'ici là.

J'aurais aimé pouvoir écrire que le lieutenant détective Bryce a fini par être réintégré dans la police d'Édimbourg, mais comme bien des institutions, celle-ci ne changera pas du jour au lendemain, malgré la gravité des critiques dont elle a fait l'objet. Bryce était sur le point de rejoindre la Navy, quand il a reçu un câble de Chicago, aux États-Unis. Alan Pinkerton lui proposait de venir travailler au sein de l'agence de détectives privés qu'il venait d'ouvrir, indépendamment de ses activités pour le gouvernement américain. Bryce a accepté avec empressement l'offre de son compatriote écossais et quitté nos côtes sans l'ombre d'un regret. À ce qu'il paraît, il a remarquablement réussi dans ce travail qu'il connaît si bien. J'ai dernièrement reçu une lettre de lui dans laquelle il m'annonce qu'il possède un yacht de vingt-quatre mètres, ancré dans le port d'Alexandria, en Virginie, où débouche le fleuve Potomac. Pour l'essentiel, il semble heureux de son sort.

Bell a quant à lui reçu un billet de Marwood, qui se dit prêt à rendre l'hospitalité à mon ami si celui-ci vient à passer par Horncastle un jour.

Je suis toujours tiraillé entre la médecine et mes ambitions littéraires. Bell m'a confié qu'il se retrouve confronté au même genre de dilemme : le nouveau commissaire d'Édimbourg ne cesse de solliciter ses conseils pour résoudre diverses affaires épineuses et plutôt étranges, mais, pour l'instant, mon ami se contente de lui faire part de ses remarques par retour de courrier. Bell m'a avoué qu'il avait eu la tentation de changer d'activité pour devenir – quel est le terme qu'il a employé ? – détective consultant. Il prend d'ailleurs un malin plaisir à tourmenter le doyen de l'université avec cette idée, profitant allégrement de son statut de légende vivante au sein de la faculté. D'aucuns se lasseraient, à la longue, d'enseigner la médecine à des hordes d'étudiants débarquant chaque année avec leur ignorance et leurs préjugés, mais mon ami prend toujours autant de plaisir à inculquer un peu de sagesse aux jeunes esprits. Je résisterai peut-être moi aussi aux tentations qui s'offrent à moi. Je ne vais probablement pas me précipiter à Plymouth ni troquer le scalpel pour la plume tout de suite. Bien sûr, je continue à écrire et à envoyer mes nouvelles aux journaux, mais je préfère prendre mon temps. D'après Bell, je n'ai pas encore trouvé mon sujet. Sur ce point, il a raison. Au moins, nous savons tous deux que je suis en train de le chercher. Quand le bon sujet se présentera, le tout sera de le reconnaître et d'être capable d'en faire quelque chose.

Avant de conclure ce récit, j'ai encore deux dernières nouvelles à rapporter. La première m'est arrivée hier par le courrier du soir. C'est une lettre du *Chamber's Journal* m'annonçant leur intention de publier l'une de mes nouvelles, *Le mystère de la vallée de Sasassa*, dans la prochaine édition du magazine. Naturellement, j'ai donné mon accord. La seconde est rapportée par les journaux de ce soir. La nuit dernière, de nombreuses personnes ont péri dans l'effondrement d'un pont ferroviaire, dont la structure n'a pas résisté au violent orage qui s'est abattu sur la région en ce mois de décembre. Locomotive, wagons, traverses et voie ferrée ont fini dans les flots glacés. Ce pont, tout neuf, était celui de la rivière Tay.

Postface de l'auteur

Alan Lambert est un personnage fictif, mais trente ans après les événements narrés dans les pages précédentes, un immigré d'Europe de l'Est du nom d'Oscar Slater, vivant à Glasgow, fut réellement victime d'une erreur judiciaire du même genre. Sous bien des aspects, mon roman s'inspire de l'affaire Slater, dont nous connaissons les détails rapportés par William Roughead. Ce fut l'un des procès criminels les plus étonnants de l'histoire judiciaire britannique, et grâce à Roughead, plusieurs générations de lecteurs ont pu découvrir la perversité inique dont la justice fit ironiquement preuve dans cette affaire. Je lui dois donc mes remerciements. Slater passa presque vingt ans en prison avant que la justice ne reconnaisse officiellement, bien qu'à contrecœur, ses erreurs. À chaque étape de la procédure, l'institution judiciaire nia obstinément sa responsabilité dans cette condamnation arbitraire. Nul ne dénonça cette injustice avec plus de virulence que sir Arthur Conan Doyle, devenu à cette époque (1909-1929) un écrivain de renommée internationale. Doyle, au nom de l'équité, prônait un système judiciaire qui fût au service de tous et pas seulement d'une petite oligarchie privilégiée. Pourfendeur du crime dans la vraie vie, Conan Doyle était bien le digne père du fameux détective du 221 B Baker Street. Si ses idées conservatrices ne le différenciaient guère de ses contemporains, Doyle était néanmoins animé d'un sens aigu de la justice et n'hésitait pas à briser les conventions de son temps pour défendre un innocent, comme dans l'affaire Slater.

Le Dr Joseph Bell n'est pas une invention de mon imagination. Professeur de chirurgie à l'université d'Édimbourg, il fut réellement le mentor de Doyle à l'époque où se situe ce roman. Ses incroyables facultés d'observation et de déduction inspirèrent Doyle, lorsqu'en 1886 il écrivit pour la première fois en haut d'une page le nom de « Sherrinford Holmes », qui deviendrait un peu plus tard « Sherlock Holmes ». Quant aux extravagantes manies de Holmes, elles lui furent inspirées par George Budd, Doyle s'étant finalement décidé à rejoindre son ami et sa jeune épouse à Plymouth.

Le lieutenant détective Bryce possède lui aussi son modèle dans la réalité, un certain John Thomson Trench, membre de la police de Glasgow, sur lequel s'acharnèrent les autorités au nord de la Tweed. Ayant perdu son poste et sa pension, ainsi que sa réputation, il s'engagea alors dans les fusiliers écossais de la Garde Royale. Mais là non plus, il n'était pas à l'abri : arrêté à la suite d'une fausse accusation de recel, il passa plusieurs mois en prison avant d'être complètement blanchi. Trench, de toute évidence, fut victime d'une oligarchie vindicative qui ne lui pardonna jamais et le harcela jusqu'à sa mort.

Remerciements

J'aimerais remercier mes amis de l'University College à l'université de Toronto, grâce à qui cet ouvrage a pu voir le jour, en particulier Lynd Forguson, Jack McLeod et A.P. Thornton. Je remercie également mon agent Beverley Slopen, mon éditrice Cynthia Good, mon assistante Mary Adachi et mon épouse Janet Hamilton qui, entre tous, m'a probablement le plus aidé à donner à ce roman sa forme définitive.

Ce livre est né à la suite d'une conversation avec mon ami Julian Symons, aujourd'hui disparu. Je lui avais fait part de mon projet de roman, encore au stade d'ébauche, lors d'un dîner chez Bofingers, non loin de la place de la Bastille à Paris. Il a trouvé l'idée intéressante, jugeant qu'elle méritait d'être creusée, mais il craignait que la famille Doyle n'appréciât guère de me voir usurper le nom si célèbre de sir Arthur Conan Doyle. Je tiens à leur assurer, à eux comme à tous mes lecteurs, que j'ai entrepris ce travail dans le même esprit que le brigadier Girard ou le célèbre détective du 221 B Baker Street, qu'il s'agît pour l'un de suivre une piste prometteuse ou pour l'autre de résoudre un problème en trois pipes.

Composition réalisée par Interligne

Imprimé en Espagne, par LIBERDUPLEX (Barcelone)

Dépôt légal : 62116-08/05
ISBN : 2-7024-7987-1
Édition 01
N° d'imprimeur :